NEUROSE, PSICOSE, PERVERSÃO

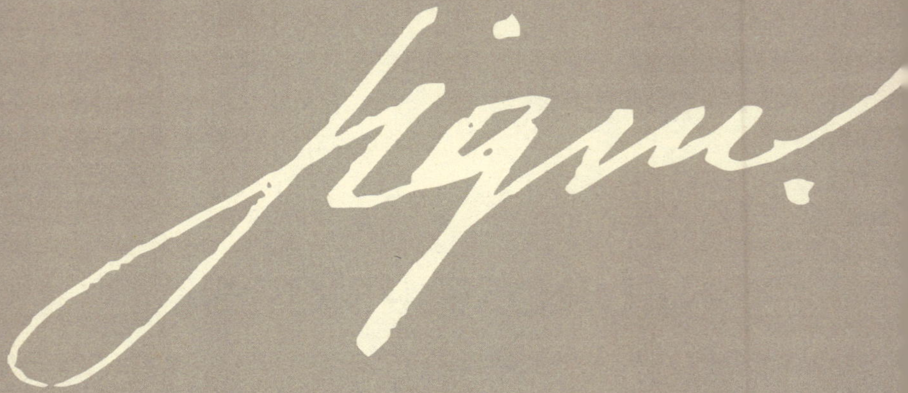

OBRAS INCOMPLETAS DE **SIGMUND FREUD**

Freud

NEUROSE, PSICOSE, PERVERSÃO

11ª reimpressão

TRADUÇÃO
Maria Rita Salzano Moraes

autêntica

7 Apresentação
Gilson Iannini e Pedro Heliodoro Tavares

13 Cartas e manuscritos dirigidos a Fließ

    15 Manuscrito H (Paranoia)
    23 Manuscrito K (As neuroses de defesa)
    35 Carta 112 [52], de 6 de dezembro de 1896
    47 Carta 139 [69], de 21 de setembro de 1897
    51 Carta 228 [125], de 9 de dezembro de 1899

59 Sobre o sentido antitético das palavras primitivas (1910)

71 Sobre tipos neuróticos de adoecimento (1912)

83 Comunicação de um caso de paranoia que contradiz a teoria psicanalítica (1915)

99 Luto e melancolia (1917)

123 "Bate-se numa criança": contribuição para o estudo da origem das perversões sexuais (1919)

157 Sobre a psicogênese de um caso de homossexualidade feminina (1920)

193 Sobre alguns mecanismos neuróticos no ciúme, na paranoia e na homossexualidade (1922)

217 Uma neurose demoníaca no século XVII (1923)

259 O declínio do complexo de Édipo (1924)

271 Neurose e psicose (1924)

279 A perda de realidade na neurose e na psicose (1924)

287 O problema econômico do masoquismo (1924)

305 A negação (1925)

315 Fetichismo (1927)

327 Posfácio
Antônio Teixeira

349 Referências

APRESENTAÇÃO

Gilson Iannini
Pedro Heliodoro Tavares

Os textos reunidos neste volume recobrem um arco que se inicia no contexto da correspondência de Freud com Fließ, no último decênio do século XIX, até o célebre artigo sobre o fetichismo, redigido no período entreguerras. Portanto, um pouco mais ou um pouco menos de um século nos separa desses escritos. Há neles, contudo, algo de extremamente contemporâneo. Freud não esteve apenas à frente de seu tempo. Em alguns aspectos, ele ainda está à frente de nosso tempo. Por exemplo, quando afirma que "a Patologia não pôde fazer justiça ao problema da causa imediata da doença [*Krankheitsveranlassung*] nas neuroses enquanto esteve preocupada apenas em decidir se essas afecções eram de natureza *endógena* ou *exógena*" (neste volume, p. 79). Talvez até hoje um certo discurso psicopatológico esteja demasiado aprisionado nessa infértil dicotomia entre fatores genéticos ou ambientais, biológicos ou psíquicos. A perspectiva freudiana é, nesse sentido, mais moderna e mais ousada: "a Psicanálise nos advertiu a abandonarmos a infecunda oposição entre fatores externos e internos, entre destino e constituição, e nos ensinou a encontrar a causação do adoecimento neurótico regularmente em uma determinada situação psíquica que pode se produzir por diversos caminhos" (p. 79). Ou, ainda, quando insiste: "assim se mistura e se une continuamente na observação aquilo que nós, na teoria, queremos distinguir como um par de opostos – herança e aquisição" (p. 186).

Nesses 30 anos que separam os manuscritos de 1895-1896 e os ensaios de 1924-1927, Freud estabeleceu o essencial da psicopatologia psicanalítica. As assim chamadas estruturas clínicas freudianas – neurose, psicose e perversão – não apenas constituem as principais entidades nosográficas psicanalíticas, mas também se articulam à reflexão metapsicológica e à teoria da clínica. Com efeito, uma das principais lições de Freud nesse âmbito é a de que não existe nosografia ateórica, como mera descrição de sintomas ou de protocolos de observação supostamente neutros, assim como, evidentemente, não pode haver teoria sobre o psiquismo que não esteja diretamente vinculada à prática clínica. Ao contrário, toda descrição nosográfica supõe – explícita ou implicitamente – uma certa teoria do aparelho psíquico, um trabalho prático de escuta-observação, além de suposições acerca da causação e das diretrizes de tratamento.

Desde a célebre carta 52, de 6 de dezembro 1896, a primeira teoria do aparelho psíquico já mostra uma forte concatenação com a clínica e com a nosografia. Freud distingue histeria, neurose obsessiva, paranoia e perversão ao mesmo tempo que constrói hipóteses tópicas acerca do aparelho psíquico e hipóteses genéticas acerca da causação de cada estrutura. Os principais pilares da nosografia psicanalítica estão erguidos desde muito cedo. O que não impede uma série de revisões e ajustes efetuados a partir de impasses clínicos e das grandes reformulações da teoria pulsional e da teoria do aparelho psíquico, como aliás atestam os breves e imprescindíveis ensaios de 1924-1927. Esses ensaios consolidaram as linhas gerais do que posteriormente veio a ser designado como estruturas clínicas freudianas.

Os textos aqui reunidos mostram também como Freud articulava a reflexão psicopatológica ao material clínico. É digno de nota que todas as grandes narrativas clínicas de Freud – os famosos cinco casos ou histórias clínicas – são ambientadas exclusivamente no que se convencionou chamar de primeira tópica, anteriores, portanto, às reformulações teóricas de "Além do princípio de prazer" (1920) e "O Eu e o Isso" (1923). Mas isso não quer dizer que depois dos grandes cinco casos Freud tenha se silenciado acerca de sua clínica. Ao contrário, ocorre que, ao esgotamento de um determinado gênero literário predominantemente narrativo – a história clínica –, segue-se a adoção de um modelo de escrita em que a teoria e a clínica se mesclam e se interpenetram de maneira ainda mais desconcertante. Alguns dos ensaios aqui coligidos oferecem abundante material clínico.

Houve um momento relativamente recente na história da Psicanálise em que a discussão acerca das estruturas clínicas ficou enredada numa pretensa vinculação biunívoca entre as três principais estruturas e os mecanismos psíquicos de *negação* subjacentes. Assim, neurose, psicose e perversão seriam respectivamente definidas pela prevalência, ou mesmo pela exclusividade, em cada uma delas, do *recalque* [*Verdrängung*], da *rejeição* ou *forclusão* [*Verwerfung*], ou da *recusa* ou *desmentido* [*Verleugnung*]. Contudo, uma leitura atenta dos artigos que compõem o presente volume mostra como em Freud essa vinculação é menos homogênea do que se quer crer, embora não deixe de obedecer a uma lógica própria.

O presente volume não esgota a nosografia freudiana. No volume *Histeria, neurose obsessiva e outras neuroses* (no prelo), separamos os artigos atinentes aos problemas específicos das neuroses. É evidente que toda edição temática incorre necessariamente em escolhas nem sempre inteiramente justificáveis. Na edição francesa da PUF, Jean Laplanche reuniu em um só volume, sob o título *Névrose, psychose et perversion* alguns dos textos que preferimos dispor em dois volumes diferentes. Ainda que o título tripartite com elementos em mesma ordem – convenção consagrada, aliás, anteriormente à elaboração da coletânea francesa – possa levar o leitor a crer que se trate de uma mesma proposta, bastará cotejar o sumário de cada volume para perceber as enormes diferenças entre a edição francesa e a brasileira.

Três artigos incluídos nesta coletânea não se referem explicitamente às estruturas clínicas, embora forneçam, a nosso ver, alguns dos fundamentos indispensáveis para pensar a psicopatologia psicanalítica. São eles: "O declínio do complexo de Édipo", texto capital para a compreensão das consequências estruturais desse momento decisivo da subjetivação, principalmente no que concerne aos critérios distintivos entre neurose e psicose consolidados nos textos de 1924; "A negação", um curto mas decisivo ensaio que trata das formas lógicas e psicológicas da negação desde a perspectiva do inconsciente; além de "Sobre o sentido antitético das palavras primitivas", que fornece, em certa medida, o fundamento linguístico da tese de que a negação não opera no inconsciente. Lidos lado a lado, esses textos ajudam a compreender o que está em jogo nos diferentes mecanismos psíquicos de defesa e como eles se relacionam à nosografia freudiana.

***

NOTÍCIA

Este volume conta com um aparato editorial original, inexistente em outras edições. Esse aparato contém não apenas notas da tradutora (N.T.), mas também notas do revisor (N.R), elaboradas pelo coordenador de tradução, e notas do editor (N.E.). Ao fim de cada texto de Freud, o editor incluiu ainda uma notícia bibliográfica que pretende reconstituir sumariamente a gênese e o contexto discursivo de cada ensaio, assim como apontar, sempre que possível, as principais linhas de força do texto, e referir uma ou outra notícia acerca de sua recepção ou repercussão na história da Psicanálise. Ao leitor familiarizado com o pensamento de Freud e com a história da recepção de seus trabalhos, a leitura desse material é dispensável.

AGRADECIMENTOS

A disponibilidade e a competência de Maria Rita Salzano Moraes devem ser lembradas como ingredientes fundamentais desta publicação. O presente volume contou também com a consultoria científica dos psicanalistas Paulo César Ribeiro e Guilherme Massara Rocha, que revisaram o aparato editorial. Agradecemos ainda a Antônio Teixeira pela redação do Posfácio.

Cartas e manuscritos

Seleção da correspondência com Fließ
(1887-1904)

MANUSCRITO H

[ANEXO À CARTA A FLIEß DE 24 DE JANEIRO DE 1895]

PARANOIA

A representação *delirante* situa-se, na Psiquiatria, ao lado da representação *obsessiva*, como um distúrbio puramente intelectual, e a paranoia, ao lado da loucura obsessiva, como psicose intelectual. Uma vez que a representação obsessiva tenha sido reconduzida a uma perturbação afetiva e se tenha demonstrado que ela deve sua força a um conflito, então a representação delirante deve ser situada dentro da mesma concepção, portanto, ela também é consequência de distúrbios afetivos e deve sua força a um processo psicológico.

O contrário disso é aceito pelos psiquiatras, enquanto o leigo está habituado a derivar a loucura delirante [*Wahnsinn*] de vivências psíquicas abaladoras. Aquele que não perde a razão com determinadas coisas "não tem nada a perder".[1]

Ora, de fato, ocorre o seguinte: a paranoia crônica, em sua forma clássica, é um *modo patológico de defesa*, tal como a histeria, a neurose obsessiva e a confusão alucinatória. Alguém se torna paranoico em relação a coisas que não pode suportar, desde que tenha a predisposição psíquica específica para isso.

Em que consiste essa predisposição? Na tendência para aquilo que representa a marca psíquica distintiva da paranoia, e isso queremos examinar com um exemplo:

Uma mulher solteira, não muito nova, de cerca de 30 anos, mora junto com o irmão e a irmã. Eles fazem parte do melhor padrão da classe trabalhadora; o irmão empenhou-se em se tornar um pequeno fabricante. Nesse meio-tempo alugam um quarto a um colega de trabalho, muito viajado, algo enigmático, muito habilidoso e inteligente, que mora com eles durante um ano e é para eles o melhor camarada e a melhor das companhias. O homem se vai, para retornar depois de seis meses. Desta vez, ele fica só por pouco tempo e desaparece definitivamente. As irmãs frequentemente lamentam sua ausência, só podem falar bem dele, até que a mais nova conta à mais velha sobre uma ocasião em que ele fez a tentativa de colocá-la em perigo. Ela estava arrumando o quarto enquanto ele ainda estava na cama; então ele a chamou para junto da cama, e quando ela se aproximou, sem nada suspeitar, ele colocou seu pênis na mão dela. A cena não teve nenhum tipo de continuação, e o estranho partiu em viagem logo depois.

No decorrer dos anos seguintes, a irmã que havia tido essa experiência adoeceu, começou a se queixar, e por fim formou-se um inequívoco delírio de ser notada [Beachtungswahn] e de perseguição com o seguinte conteúdo: as vizinhas sentiam pena dela por ela ser uma mulher abandonada, que ainda fica esperando por aquele homem; sempre lhe faziam insinuações desse tipo, contavam-lhe toda espécie de coisas sobre esse homem, e assim por diante. É claro que tudo isso não era verdade. Desde então, a doente entra nesse estado apenas por semanas; depois torna a ficar lúcida temporariamente, explica tudo como consequência da exaltação, embora, mesmo nos intervalos, sofra de uma neurose que não é difícil de interpretar sexualmente – e logo volta a entrar em uma nova crise de paranoia.

A irmã mais velha percebeu, atônita, que assim que começava a conversa sobre aquela cena de sedução, a doente a negava. Breuer ficou sabendo do caso; a paciente me foi encaminhada, e me empenhei em curar o ímpeto [*Drang*][2] à paranoia, procurando colocar a lembrança daquela cena em seu devido lugar. Não deu certo. Falei duas vezes com ela, deixei que me contasse tudo o que se referia ao hóspede sob hipnose de concentração [*Konzentrationshypnose*], mas, em resposta às minhas insistentes perguntas sobre se não teria mesmo acontecido algo "embaraçoso", recebi a mais decidida negação e – nunca mais a vi. Ela mandou me dizer que aquilo a havia irritado demais. Defesa! Era óbvio. Ela não *queria* ser lembrada daquilo e, em consequência, recalcou-o intencionalmente.

A defesa estava fora de dúvida e poderia igualmente ter conduzido a um sintoma histérico ou a uma representação obsessiva. Onde está então o peculiar da defesa paranoica?

Ela se poupou de algo; algo foi recalcado. Podemos imaginar o que era. É provável que realmente tenha ficado nervosa com a visão e com a lembrança dessa visão. Logo, estava se poupando da recriminação de ser uma "má pessoa". Passou, então, a ouvir o mesmo vindo de fora. O *conteúdo objetivo permaneceu, portanto, inalterado*, mas algo se alterou na posição da coisa toda. Antes era uma repreensão interna, agora é um desaforo vindo de fora. O julgamento sobre ela fora desalojado para fora. As pessoas diziam aquilo que normalmente ela teria dito para si mesma. Ganhou-se algo com isso. O julgamento vindo de dentro, ela teria de aceitar. O que vinha de fora, ela podia recusar [*ablehnen*]. *Dessa forma, o julgamento, a recriminação, era afastado do Eu.*

A paranoia tem, portanto, o propósito de se defender de uma representação intolerável para o Eu, projetando seu conteúdo no mundo exterior.

Duas perguntas: como se chega a uma transposição [*Verlegung*] como essa? Isso vale também para outros casos de paranoia?

1) Muito simples. Trata-se do abuso de um mecanismo psíquico utilizado com frequência dentro do normal: a transposição ou projeção. Em qualquer alteração interior temos a opção de supor uma causa interna ou externa. Quando algo nos aparta do andamento interior, naturalmente recorremos ao exterior. Em segundo lugar, estamos habituados a que nossos estados interiores (através da expressão das emoções) sejam revelados aos outros. Isso tem como resultado o delírio normal de ser notado e a projeção normal. É normal, com efeito, enquanto permanecemos conscientes de nossa própria alteração interior. Se a esquecemos, só nos resta a premissa do silogismo que se conduz ao exterior, e então temos a paranoia, com a supervalorização daquilo que se sabe a nosso respeito e daquilo que nos fizeram. Aquilo que se sabe a nosso respeito e que absolutamente não sabemos não podemos admitir. *Portanto, um abuso do mecanismo de projeção para fins defensivos.*

Com as representações obsessivas ocorre algo bastante análogo. O mecanismo de substituição também é normal. Quando a velha solteira adota um cão, quando o solteirão coleciona caixas de tabaco, a primeira substitui sua necessidade de companhia conjugal, e o último, sua necessidade de – inúmeras conquistas. Todo colecionador é um Don Juan Tenorio substituído, como o são igualmente o montanhista, o desportista e outros semelhantes. São os equivalentes eróticos. As mulheres também os conhecem. O tratamento ginecológico entra nessa categoria. Há duas espécies de pacientes mulheres: aquelas que são tão fiéis ao seu médico quanto ao seu marido e as que trocam de médico como trocariam de amantes. Esse mecanismo de substituição de efeito normal tem um mau uso no caso de representações obsessivas — também nesse caso para fins de *defesa*.

2) Pois bem, uma concepção como essa vale também para outros casos de paranoia? Eu diria que para todos. Quero tomar exemplos:

O paranoico querelante não suporta a ideia de ter feito algo errado ou de que precisa se separar de seus bens. Em consequência, o julgamento não é legalmente válido, ele não está errado, e assim por diante. O caso é claro demais, talvez não de todo evidente, mas mais simples de resolver.

A grande nação não pode reconhecer a ideia de que pode ser vencida na guerra. *Ergo*, ela não foi vencida, a vitória não vale; ela dá o exemplo de uma paranoia de massa e inventa o delírio da traição.

O alcoólatra nunca admitirá a si mesmo que ficou impotente por causa da bebida. Ele tolera esse tanto de álcool, mas não tolera saber sobre isso. Portanto, a mulher é a culpada — delírio de ciúme, e assim por diante.

O hipocondríaco vai se debater um bom tempo até encontrar a chave para suas sensações de estar gravemente doente. Ele não admitirá a si mesmo que elas têm a ver com a sua vida sexual, mas o que lhe traz a maior satisfação é seu sofrimento não ser endógeno, segundo Moebius, mas exógeno, e em consequência encontra-se envenenado.

O funcionário preterido numa promoção precisa do complô de perseguição e de ser espionado em sua sala, do contrário ele teria de admitir seu fracasso.

Não é preciso, necessariamente, ser o delírio de perseguição a surgir dessa maneira. Um delírio de grandeza consegue, talvez ainda melhor, manter o que é penoso afastado do Eu. É o caso da cozinheira que perdeu seus atrativos e que deveria se acostumar à ideia de que está excluída da felicidade do amor. Esse é o momento certo para o senhor da casa em frente, que claramente quer casar-se com ela e lhe dá a entender de um modo notavelmente tímido, mas, mesmo assim, inconfundível. Em todos os casos a *ideia delirante* é mantida com a mesma energia com que o Eu se defende de alguma outra ideia penosamente insuportável. Portanto, eles amam o *delírio como a si mesmos*. Eis o segredo.

Pois bem, como se relaciona essa forma de defesa com as já conhecidas: 1. Histeria, 2. Representação obsessiva, 3. Confusão alucinatória, 4. Paranoia?

Estamos levando em conta: afeto, conteúdo da representação e as alucinações.

1. *Histeria*: a representação intolerável não é admitida na *associação* com o Eu. Seu conteúdo se mantém isolado, falta na consciência, seu afeto é despachado [*erledigt*] por conversão ao corporal – a única psiconeurose.[3]

2. *Representação obsessiva*: a representação intolerável não é, igualmente, admitida na *associação*. O afeto permanece conservado; o conteúdo é substituído.

3. *Confusão alucinatória*: a representação intolerável inteira – afeto e conteúdo – se mantém afastada do Eu, o que só é possível às custas de um desligamento do mundo externo. Chega-se às alucinações que são *favoráveis ao Eu* e *apoiam a defesa*.

4. *Paranoia*: conteúdo e afeto da representação intolerável se conservam, em direto contraste com 3., mas

são projetados no mundo externo. – Alucinações que se originam em diversas formas são *hostis* ao Eu, mas reforçam a *defesa*.

Em contraste com isso, as psicoses histéricas, nas quais justamente as representações rechaçadas ganham poder. Tipo: ataque e *état secondaire*. As alucinações são *hostis* ao Eu.

RESUMO

	rechaçado			
	Afeto	Conteúdo da representação	Alucinação	Efeito
Histeria	despachado por conversão –	falta na consciência –	–	defesa instável com ganho satisfatório
Representação obsessiva	conservado +	falta na consciência – substituído –	–	defesa permanente sem ganho
Confusão alucinatória	ausente –	ausente –	favorável ao Eu favorável à defesa	defesa permanente com ganho acentuado
Paranoia	conservado +	conservado + projetado para fora +	hostil ao eu favorável à defesa	defesa permanente sem ganho
Psicose histérica	domina a consciência +	+	hostil ao Eu hostil à defesa	defesa fracassada

A *ideia delirante* ou é uma cópia ou o oposto da representação *rechaçada* (delírio de grandeza).

Paranoia e confusão alucinatória são as duas *psicoses de desafio ou oposição*. A "referência a si mesmo" da paranoia é igual às alucinações dos estados confusionais, que justamente procuram afirmar exatamente o contrário do fato rechaçado. Assim, a referência a si mesmo sempre tenta provar que a projeção está correta.

MANUSCRITO K
[ANEXO À CARTA A FLIEß DE 1º DE JANEIRO DE 1896]

AS NEUROSES DE DEFESA
(Conto de fadas natalino)

Existem quatro tipos e muitas formas dessas neuroses. Posso apenas traçar uma comparação entre histeria, neurose obsessiva e uma forma de paranoia. Elas têm diversas coisas em comum. São aberrações patológicas de estados psíquicos afetivos normais: do *conflito*[4] (histeria), da *recriminação* (neurose obsessiva), da *ofensa* [*Kränkung*] (paranoia), do *luto* (amência alucinatória aguda). Distinguem-se desses afetos por não levarem a nenhuma resolução, mas a um dano permanente do Eu. Elas surgem das mesmas ocasiões que seus modelos afetivos, se, para o desencadeamento, mais duas condições forem preenchidas: que seja de natureza sexual e que ocorra no período anterior à maturidade sexual (condições da *sexualidade* e do *infantilismo*). Sobre as condições da pessoa, não conheço nada de novo; gostaria de dizer que, de maneira geral, a hereditariedade é uma condição a mais, no que ela facilita e intensifica o efeito patológico. Portanto, é aquela condição que possibilita, sobretudo, as gradações do normal ao extremo. Não creio que a hereditariedade determine a escolha da neurose de defesa.

Existe uma tendência normal à defesa, isto é, uma tendência contrária a direcionar a energia psíquica de tal maneira que produza desprazer. Essa tendência, que está ligada às mais fundamentais relações do mecanismo psíquico (princípio de constância), não pode ser empregada contra as percepções, pois estas sabem como conquistar atenção (testemunhada pela consciência); ela só é levada em conta contra lembranças e representações do pensamento. Ela é inócua quando se trata de representações que, na época, estavam ligadas ao desprazer, mas que não são capazes de suscitar nenhum desprazer atual (a não ser o recordado); em tais casos, ela também pode ser superada pelo interesse psíquico.

No entanto, a tendência à defesa se torna nociva quando se volta para representações que, mesmo como recordações, podem ocasionar um novo desprazer, tal como é o caso das [representações] sexuais. De fato, aqui se realiza a única possibilidade de a lembrança produzir, *a posteriori* [*nachträglich*], o efeito de uma liberação mais intensa do que a de sua vivência correspondente. Para isso, só é preciso uma coisa: que entre a vivência e sua repetição na lembrança se interponha a puberdade, que tanto intensifica o efeito do despertar. Para essa exceção, o mecanismo psíquico parece não estar preparado, e por isso a condição para que se fique livre das neuroses de defesa é que não ocorra nenhuma irritação sexual significativa antes da puberdade, cujo efeito, aliás, deve ser ampliado até uma magnitude patologizante através da disposição hereditária.

(Daqui se ramifica um problema colateral: a que se deve o fato de que, sob condições análogas, produza-se, em vez da neurose, a perversidade ou simplesmente a imoralidade [?].)[5]

Ao fundo do enigma psicológico conduz a interrogação sobre onde se origina o desprazer que vai ser ocasionado através de estimulação sexual prematura, sem o qual um recalcamento não pode ser explicado. A resposta mais imediata vai apontar para o fato de que vergonha e moralidade são as forças recalcadoras e que a vizinhança natural dos órgãos sexuais infalivelmente despertará também repugnância na vivência sexual. Onde não existe nenhuma vergonha (como no indivíduo masculino), onde nenhuma moralidade tem êxito (como nas classes sociais mais baixas), onde a repugnância é embrutecida pelas condições de vida (como no campo), nesses casos não haverá nenhum recalcamento, e assim nenhuma neurose será a consequência da estimulação sexual infantil. Contudo, temo que essa explicação não se sustente em um exame mais profundo. Não creio que a liberação de desprazer em vivências sexuais seja a consequência da combinação fortuita de determinados fatores de desprazer. A experiência cotidiana ensina que quando a libido está suficientemente intensa, a repugnância não é sentida e a moralidade é superada, e eu acho que o aparecimento da vergonha está ligado à vivência sexual por uma conexão mais profunda. Em minha opinião deve haver uma fonte independente de liberação de desprazer na vida sexual; uma vez que esteja presente, ela pode animar as percepções de repugnância, emprestar força à moralidade, e assim por diante. Atenho-me ao modelo da neurose de angústia do adulto, em que uma quantidade proveniente da vida sexual causa uma perturbação no psíquico, perturbação que igualmente teria encontrado uma utilização no processo sexual. Enquanto não houver uma teoria correta do processo sexual, permanece a questão sobre o aparecimento do desprazer atuante no recalcamento.

O desenrolar do adoecimento nas neuroses de recalcamento é, em geral, sempre o mesmo:

1. a vivência sexual (ou a série de vivências) traumática, prematura, a ser recalcada,

2. seu recalcamento em uma ocasião anterior, que desperta a lembrança correspondente, ocasião em que há formação de um sintoma primário,
3. um estágio de defesa bem-sucedida, que equivale à saúde, exceto quanto à existência do sintoma primário,
4. a fase em que as representações recalcadas retornam, e, na luta entre elas e o Eu, são formados os novos sintomas da doença propriamente dita,
5. uma fase de nivelamento, de dominação ou de cura deficiente.

Na maneira como retornam as representações recalcadas revelam-se as diversas diferenças de cada uma das neuroses; outras, no modo de formação do sintoma e na sua evolução. No entanto, o caráter específico de cada uma das neuroses reside no modo como o recalcamento é realizado.

O desenrolar mais transparente para mim é o da neurose obsessiva, pois a conheci melhor.

A NEUROSE OBSESSIVA

Aqui a vivência primária foi provida de prazer; foi ativa (no menino) ou passiva (na menina), sem combinação com dor ou repugnância, o que, na menina, em geral, pressupõe uma idade maior (cerca de oito anos). Essa vivência, recordada mais tarde, dá motivo para a produção de desprazer, mas, na verdade, primeiro é gerada uma recriminação, que é consciente. Parece até que todo o complexo psíquico – lembrança e recriminação – fora consciente desde o início. Mais tarde – sem que nada novo seja acrescentado – ambas são recalcadas, e, em troca, forma-se na consciência um *contrassintoma* [*Gegensymptom*], uma nuance de *conscienciosidade*.

O recalcamento pode acontecer porque a lembrança prazerosa em si gera desprazer quando de sua reprodução em anos posteriores, o que seria explicável por uma teoria da sexualidade. Mas pode ocorrer de outra maneira. Em *todos* os meus casos de neurose obsessiva descobriu-se, numa idade muito precoce, anos antes da experiência de satisfação, uma vivência *puramente passiva*, o que dificilmente seria um acaso. Pode-se pensar, então, que é a combinação posterior dessa vivência passiva com a vivência de prazer que agrega desprazer à lembrança prazerosa e possibilita o recalcamento. Seria então uma condição clínica da neurose obsessiva que a vivência passiva aconteça tão cedo, que não seja capaz de impedir a ocorrência espontânea da vivência de prazer. A fórmula seria então: *Desprazer − prazer − recalcamento*

As relações temporais entre ambas as vivências e o momento da maturidade sexual seriam o fator determinante.

No estágio do retorno do recalcado verifica-se que a *recriminação* retorna inalterada, mas só raramente, a ponto de chamar a atenção para si; emerge, portanto, durante certo tempo, como pura consciência de culpa sem conteúdo. Muitas vezes, dependendo do tempo e do conteúdo, ela vem ligada a um conteúdo que fica duplamente desfigurado: primeiro, por ela dizer respeito a uma ação presente ou futura; por último, por ela não significar o acontecimento real, mas sim um sucedâneo da categoria do análogo, [ou seja] uma substituição. A representação obsessiva é, portanto, um produto de compromisso, correto no tocante ao afeto e à categoria, mas falso pelo deslocamento temporal e pela substituição analógica.

O afeto da recriminação pode, através de diversos estados psíquicos, transformar-se em outros afetos, que podem então entrar na consciência de maneira mais nítida do que ele próprio, portanto, como *angústia* [*Angst*] (a partir das consequências da ação recriminatória), *hipocondria* (temor [*Furcht*] por seus efeitos corporais), *delírio de perseguição* (temor por suas consequências sociais), *vergonha* (temor do conhecimento dos outros sobre a ação recriminatória), e assim por diante.

O Eu consciente se contrapõe à representação obsessiva como algo estranho, parece que lhe recusa a crença com ajuda da representação contrária da conscienciosidade formada muito tempo antes: mas nesse estágio pode às vezes acontecer uma dominação do Eu pela representação obsessiva, por exemplo, quando episodicamente se interpola uma melancolia do Eu. Fora isso, o estágio da doença é tomado pela luta defensiva do Eu contra a representação obsessiva, luta que produz novos sintomas, os da *defesa secundária*. A representação obsessiva é, como qualquer outra, atacada de forma lógica, apesar de sua compulsão não poder ser resolvida; aumento da conscienciosidade, compulsão a testar e a acumular são os sintomas secundários. Surgem outros sintomas secundários, em que a compulsão se transfere para impulsos motores contra a representação obsessiva, por exemplo, para a ruminação de ideias, para a bebida (dipsomania), para rituais de proteção, e assim por diante (*folie de doute*). Assim, formam-se três espécies de sintoma:

a. o sintoma primário da defesa: *conscienciosidade*;
b. os sintomas de compromisso da doença: *representações obsessivas* ou *afetos obsessivos*;
c. os sintomas secundários da defesa: *compulsão para a ruminação de ideias, compulsão a acumular, dipsomania, obsessão cerimoniosa*.

Aqueles casos – em que não é o conteúdo da lembrança que se torna capaz de consciência através de substituição, mas sim o afeto da recriminação, através de transformação – dão a impressão de ter ocorrido ali um deslocamento ao longo de uma cadeia de deduções: me repreendo por causa de um acontecimento – temo que outros saibam sobre isso –, por isso me envergonho diante de outras pessoas. – Assim que o primeiro elo dessa cadeia é recalcado, a compulsão se lança ao segundo ou terceiro e produz duas formas de delírio de ser notado que, no entanto, pertencem de fato à neurose obsessiva. O desenlace da luta defensiva acontece através da mania generalizada de dúvida ou do desenvolvimento de uma existência extravagante com inumeráveis sintomas de defesa secundária, se é que chega a haver esse desenlace.

Uma questão ainda em aberto é se as representações recalcadas retornam, em si e por si, sem o trabalho auxiliar de uma força psíquica atual ou se precisam de um auxílio como esse para cada golpe de retorno. Minhas experiências apontam para a última situação. Parecem ser os estados de libido atual insatisfeita que utilizam sua força de desprazer para despertar a recriminação recalcada. Uma vez ocorrido esse despertar e tendo surgido sintomas através da influência do recalcado sobre o Eu, a massa de representações recalcada deve seguir trabalhando independentemente, mas, nas oscilações de sua potência quantitativa, permanece sempre dependente do montante da tensão libidinal em cada caso. A tensão sexual que não tem o tempo para se tornar desprazer, porque é apaziguada, permanece inofensiva. Os neuróticos obsessivos são pessoas que, finalmente, correm o perigo de que toda a tensão sexual neles produzida diariamente se transforme em recriminação ou em sintomas que são sua consequência, mesmo que no presente não reconheçam novamente aquela recriminação primária.

30 OBRAS INCOMPLETAS DE S. FREUD

A cura da neurose obsessiva ocorre fazendo-se retroceder todas as substituições e transformações de afeto encontradas, até que a recriminação primária e sua vivência sejam libertadas e possam ser colocadas diante do Eu para novo julgamento. Para isso, é preciso elaborar a fundo [durcharbeiten][6] um número inimaginável de representações intermediárias ou de compromisso que fugazmente podem se tornar representações obsessivas. Ganha-se a mais viva convicção de que para o Eu é impossível dirigir ao recalcado aquela parte da energia psíquica conectada com o pensamento consciente. É preciso acreditar que as representações recalcadas subsistem e entram desinibidamente nas mais corretas conexões de pensamento; mas a sua lembrança também pode ser despertada por meras acusações. A suposição de que a "moralidade" como força recalcante era apenas um pretexto é corroborada pela experiência de que no trabalho terapêutico a resistência se serve de quaisquer motivos possíveis de defesa.

PARANOIA

As condições clínicas e proporções temporais de prazer e desprazer na vivência primária ainda me são desconhecidas. O que conheço é o fato do recalcamento, o sintoma primário e o estágio da doença condicionado pelo retorno das representações recalcadas.

A vivência primária parece ser de natureza semelhante à da neurose obsessiva; o recalcamento acontece depois que essa lembrança, não se sabe como, ocasionou desprazer. No entanto, não se forma nenhuma recriminação que seria logo recalcada, mas o desprazer que surge é atribuído, segundo o esquema psíquico da projeção, a alguém próximo [Nebenmensch]. O sintoma primário que se forma é a *desconfiança* (sensibilidade a outros). Nesse caso, a crença em uma recriminação foi impedida.

É possível vislumbrar agora diversas formas, dependendo de se apenas o afeto foi recalcado por projeção ou se o conteúdo da vivência também foi juntamente recalcado. O retorno atinge, então, apenas o afeto penoso ou também a lembrança. No caso II, que eu mesmo conheço mais exatamente, o conteúdo da vivência retorna como um pensamento em forma de ocorrência repentina, ou como uma alucinação visual ou sensorial. O afeto recalcado parece retornar sempre como alucinação auditiva.

Os fragmentos de lembrança que retornam estão desfigurados, na medida em que são substituídos por imagens análogas da atualidade, portanto, só são desfigurados de maneira simples, por substituição temporal, e não por formação de sucedâneos. As vozes restituem a recriminação igualmente como sintoma de compromisso e, na verdade, primeiro no teor desfigurado até a indeterminação e transformado em ameaça, e segundo, referido, em vez de à vivência primária, justamente à desconfiança, isto é, ao sintoma primário.

Como a crença foi impedida à recriminação primária, ela fica disponível aos sintomas de compromisso sem oscilações.[7] O Eu não os considera estranhos e é estimulado por eles a fazer tentativas de esclarecimento, que podemos chamar de *delírio de assimilação.*

Aqui a defesa – com o retorno do recalcado em forma desfigurada – fracassa imediatamente, e o delírio de assimilação não pode ser interpretado como sintoma da defesa secundária, mas como o início de uma *alteração no Eu*, como expressão do avassalamento. O processo atinge sua conclusão na melancolia (pequenez do Eu), que secundariamente liga às distorções aquela crença que foi impedida à recriminação primária, ou, o que é mais frequente e mais sério, em uma *formação delirante de proteção* (delírio de grandeza), até o Eu ser completamente reelaborado.

O elemento determinador da paranoia é o mecanismo de projeção com a recusa [*Ablehnung*] da crença na recriminação. Daí os traços característicos comuns da neurose: a significação das vozes como aquele meio através do qual os outros nos influenciam e igualmente a dos gestos que nos denunciam a vida anímica dos outros; a importância do tom da fala e das alusões, tendo em vista que a relação direta do conteúdo da fala com a lembrança recalcada não é suscetível de consciência.

O recalcamento teve lugar na paranoia a partir de um processo consciente e complicado de pensamento (impedimento da crença); talvez isso seja um indício de que ela só se instalou numa idade mais tardia do que na neurose obsessiva e na histeria. As premissas do recalcamento são, sem dúvida, as mesmas. Ainda está pendente se o mecanismo de projeção se situa inteiramente na disposição individual ou se é escolhido a partir de determinados fatores temporais e fortuitos.

Quatro espécies de sintomas:
a. sintomas primários de defesa;
b. sintomas de compromisso do retorno;
c. sintomas secundários de defesa;
d. sintomas de subjugação do Eu.

HISTERIA

A histeria pressupõe necessariamente uma vivência primária de desprazer, portanto de natureza passiva. A passividade sexual natural da mulher explica a sua predileção pela histeria. Quando encontrei histeria em homens, pude comprovar extensa passividade sexual em sua anamnese. É condição da histeria, além disso, que a vivência desprazerosa primária não aconteça numa idade muito precoce, quando a liberação de desprazer é ainda muito limitada e quando ainda podem ocorrer eventos prazerosos de maneira independente; do contrário chega-se apenas à formação de representações obsessivas. É por isso que nos homens encontramos com frequência uma combinação de ambas as neuroses ou a substituição de uma histeria inicial por uma neurose obsessiva posterior.

A histeria começa com a subjugação do Eu, que é o fim aonde leva a paranoia. A elevação da tensão na vivência desprazerosa primária é tão grande que o Eu não resiste a ela, não forma nenhum sintoma, mas precisa tolerar uma manifestação de escoamento, em geral uma expressão hiperintensa de excitação. Podemos chamar esse primeiro estágio de histeria de susto [*Schreckhysterie*]; seu sintoma primário é a *manifestação de susto* com *lacuna* psíquica. Ainda não se sabe até que idade pode chegar essa primeira subjugação histérica do Eu.

O recalcamento e a formação de sintomas de defesa ocorrem só posteriormente na lembrança e, a partir daí, numa histeria, podem se combinar ao acaso *defesa* e *subjugação*, isto é, formação de sintoma e irrupção de ataques.

O recalcamento não ocorre pela formação de uma representação superintensa contrária, mas pelo reforço de uma representação-limite [*Grenzvorstellung*][8] que, de agora em diante, representa a lembrança recalcada no curso do pensamento. Ela pode ser chamada de representação-limite porque, por um lado, pertence ao Eu consciente, e por outro, constitui um fragmento não desfigurado da lembrança traumática. Então, ela é igualmente o resultado de um compromisso que, no entanto, não se manifesta na substituição baseada em alguma categoria lógica, e sim no deslocamento da atenção ao longo de uma série de representações, ligada por simultaneidade. Quando o evento traumático encontrou saída em uma manifestação motora, é justamente esta que se torna uma representação-limite e o primeiro símbolo do recalcado. Assim, não há necessidade de se supor que, a cada repetição do ataque primário, uma representação esteja sendo reprimida [*unterdrückt*]; trata-se, antes de tudo, de uma *lacuna no psíquico* [*Lücke im Psychischen*].[9]

CARTA A FLIEß 112 [52][10]

6 de dezembro de 1896

Meu querido Wilhelm!

Depois de ter hoje desfrutado da plena medida de trabalho e de rendimento de que preciso para o meu bem-estar (10 horas e 100 florins), [depois] de estar morto de cansaço e espiritualmente bem-disposto, quero tentar te apresentar, de maneira simples, um pouquinho da última especulação.

Você sabe que eu trabalho com a suposição de que nosso mecanismo psíquico tenha surgido de uma sobreposição de camadas, na qual, de tempos em tempos, o material presente na forma de traços mnêmicos [*Erinnerungsspuren*] sofre uma reorganização, uma reescrita,[11] a partir de novas relações. Portanto, o que há de fundamentalmente novo em minha teoria é a afirmação de que a memória não está disposta em apenas uma, mas em várias camadas, que é escrita[12] com vários tipos de signos [*Zeichen*]. Postulei a existência de uma reorganização semelhante algum tempo atrás (Afasia)[13] para as vias [*Bahnungen*] que provêm da periferia do corpo até o córtex. Quantos desses tipos de escrita existem eu não sei. Pelo menos três, provavelmente mais. Isso pode ser visto no diagrama esquemático abaixo, que pressupõe que os diferentes modos de escrita [*Niederschriften*][14] sejam também separados (não necessariamente em termos tópicos) de acordo com seus neurônios portadores [*Neuronträgern*].

		I		II		III		
P		sP		Ic		Pc		Cs
x x		x x		x x		x x		x x
x		x x		x ^{x}		x		x

Figura 1[15]

P são neurônios em que se originam as percepções às quais a consciência se liga, mas que, em si, não retêm nenhum vestígio [*Spur*] do que aconteceu. Vale dizer que consciência e memória excluem-se mutuamente.

sP (signos de percepção) são o primeiro modo de escrita das percepções, totalmente incapaz de produzir consciência e organizado a partir de associações por simultaneidade.

Ic (inconsciência)[16] é o segundo modo de escrita, disposto a partir de outras relações, talvez causais. Traços Ic corresponderiam talvez a lembranças conceituais e seriam, da mesma forma, inacessíveis à consciência.

Pc (pré-consciência) é o terceiro modo de escrita, ligado a representações de palavra [*Wortvorstellungen*], correspondendo ao nosso Eu oficial. Os investimentos [*Besetzungen*] provenientes dessa Pc tornam-se conscientes de acordo com determinadas regras, e na verdade essa consciência secundária do pensamento é algo da ordem da posterioridade [*nachträgliches*], no que diz respeito ao tempo, provavelmente ligado à reanimação alucinatória de representações de palavra, de modo que os neurônios da consciência seriam novamente neurônios de percepção e, em si, sem memória.

Se eu pudesse fornecer as características da percepção e dos três modos de escrita eu teria descrito uma nova psicologia. Tenho algum material à disposição, mas essa não é minha intenção agora.

Quero enfatizar que os modos de escrita sobrepostos em sequência representam o trabalho psíquico de épocas sucessivas da vida. Na fronteira de duas dessas épocas precisa acontecer a tradução [*Übersetzung*][17] do material psíquico. Explico as singularidades das psiconeuroses através do fato de essa tradução não ter ocorrido para um determinado material, o que tem determinadas consequências. Isso porque persistimos na tendência à equivalência quantitativa. Cada escrita sobreposta [*Überschrift*] posterior inibe a anterior e desvia seu processo excitatório. Onde quer que falte a escrita sobreposta posterior, a excitação é resolvida de acordo com as leis psicológicas vigentes no período psíquico anterior e segue pelos caminhos disponíveis naquela ocasião. Dessa maneira, subsiste um anacronismo: numa determinada província ainda vigoram os *fueros*;[18] "sobrevivências" acontecem.

A falha da tradução [*die Versagung der Übersetzung*], é isso que clinicamente se chama "recalcamento". Seu motivo é sempre uma liberação de desprazer que seria gerado pela tradução, como se esse desprazer provocasse uma perturbação no pensamento, que não permitisse o trabalho de tradução.

Dentro da mesma fase psíquica e entre modos de escrita da mesma espécie faz-se valer uma defesa normal por causa do desenvolvimento de desprazer; mas a defesa patológica só ocorre contra um vestígio de lembrança [*Erinnerungsspur*] ainda não traduzido da fase anterior.

Não pode ser pela magnitude da liberação de desprazer que a defesa consiga promover o recalcamento.[19] Com frequência nos esforçamos em vão, justamente contra lembranças de mais intenso desprazer. Então chegamos à seguinte configuração: se um evento A, enquanto era atual, despertou um determinado desprazer, então sua escrita mnêmica [Erinnerungsniederschrift] AI ou AII encontra um meio de inibir a liberação de desprazer no caso de reativação [da lembrança]. Quanto mais for lembrado, mais inibida, por fim, torna-se a liberação. No entanto, existe um caso para o qual a inibição não basta: se A, enquanto era atual, ocasionou determinado desprazer e, no despertar, libera um novo desprazer, então este não pode ser inibido. A lembrança comporta-se, então, como se fosse algo atual. Esse caso só é possível em ocorrências sexuais, porque as magnitudes das excitações que elas liberam aumentam por si só no decorrer do tempo (com o desenvolvimento sexual).

Portanto, a ocorrência sexual em uma fase tem efeito atual e consequentemente não é passível de inibição na fase seguinte. Portanto, a condição da defesa patológica (recalcamento) é a da natureza sexual do evento e sua ocorrência em uma fase anterior.

Nem todos os eventos sexuais geram desprazer, a maioria gera prazer. Então, a reprodução da maioria deles deve estar ligada a um prazer não passível de inibição. Esse tipo de prazer não passível de inibição constitui uma compulsão [Zwang]. Assim, chegamos às seguintes teses: quando um evento sexual com diferença de fase é lembrado, surge uma compulsão na geração de prazer e recalcamento na geração de desprazer. Em ambos os casos parece estar inibida a tradução para os signos da nova fase. (?)

A clínica nos apresenta três grupos de psiconeuroses sexuais: histeria, neurose obsessiva e paranoia, e ensina que as lembranças recalcadas – no caso da primeira, na idade de 1 ano e meio até 4 anos; no caso da neurose obsessiva, na idade de 4 até 8 anos; e paranoia, na idade de 8 até 14 anos – figuram como algo atual. Mas antes dos 4 anos ainda não ocorre nenhum recalcamento, portanto, os períodos psíquicos do desenvolvimento e as fases sexuais não coincidem:

[idade]	$1^{1/2}$		4		8		14-15
psíquico	Ia		Ib		II		III
sexual		I			II		III

O seguinte pequeno esquema deve ser exposto neste ponto:

	sP	sP + Ic	sP + Ic + Pc	idem
	até 4 anos	até 8 anos	até 14/15 anos	
histeria	atual	compulsão	recalcada em sP	
neurose obsessiva	–	atual	recalcada nos signos Ic	
paranoia	–	–	atual	recalcada nos signos Pc
perversão	atual	atual	compulsão (atual)	recalcamento impossível ou não tentado

Outra consequência das vivências sexuais prematuras é a perversão,[20] cuja condição parece ser o fato de a defesa não ocorrer antes de o aparelho psíquico ter se constituído por completo, ou de jamais ocorrer.

Até aqui [tratamos da] superestrutura [Oberbau]. Agora [segue] a tentativa de colocá-la sobre a base orgânica. É preciso esclarecer por que experiências sexuais geradoras de prazer quando eram atuais, ao serem recordadas numa fase diferente, produzem desprazer em algumas pessoas e persistem como compulsão em outras. No primeiro caso, elas precisam claramente produzir mais tarde um desprazer que no início não foi liberado.

É preciso também mostrar as derivações das diferentes fases: as psicológicas e as sexuais. As últimas[21] você me ensinou a conhecer como múltiplos especiais do ciclo feminino de 28 dias.[22]

40 OBRAS INCOMPLETAS DE S. FREUD

100 π = 7 ¾ anos, além de 20 π = 1 ano e 6 ½ meses

200 π = 15 anos, 50 π = 3 anos e 10 meses[23]

Se eu tomar todos os períodos observados como múltiplos desse tipo, teremos, de um lado, que o período de 23 dias continuará não sendo considerado, e, de outro, continuará sem explicação por que fases psíquicas e sexuais não coincidem (4 anos) e por que surge ora a perversão, ora a neurose.

Faço, então, a tentativa de supor que há uma substância masculina de 23 dias, cuja liberação será sentida como prazer em ambos os sexos, e uma substância de 28 dias, cuja liberação será sentida como desprazer.

Percebo então que posso apresentar todos os períodos psíquicos como múltiplos de períodos (π) de 23 dias, se eu *incluir no cálculo* o período de gestação (276 dias = 12 π).

3 × 12 π = 1 ½ anos

6 × 12 π = 3 ¾ anos

12 × 12 π = 8 anos

18 × 12 π = 12 1/3 anos

21 × 12 π = 14 ¼ anos

24 × 12 π = 17 anos

Isso significaria que o desenvolvimento psíquico ocorre em períodos de 23 dias, que se somariam a múltiplos de 3, 6, 12, ... 24, caso em que o sistema duodecimal seria eficaz.

A unidade seria, em todos os casos, o *período de gestação*, que é igual a 10 π ou 12 π (aproximadamente). O resultado seria apenas que o desenvolvimento psíquico progrediria de acordo com os múltiplos 3 × 6 × 12 dessa unidade, enquanto o período de gestação *é igual a 12 π*, e o desenvolvimento sexual de acordo com os múltiplos 5 × 10 × 20, enquanto o mesmo tempo *é igual a 10 π*.

Há dois pontos dignos de nota: 1) que no desenvolvimento psíquico o tempo intrauterino precisa ser levado em conta, não há outro jeito; enquanto no sexual, o cálculo só pode começar no nascimento. Isso faz lembrar que durante a gravidez ocorre um acúmulo da substância de 28 dias, que só é liberada no parto; 2) que os períodos de 28 dias somam-se de maneira mais rara e mais intensa que os de 23 dias, como se o desenvolvimento humano superior dependesse dessa característica (vergonha, moral).

Os dois tipos de fase estariam assim entrelaçados:

	1½	3¾	8	12¼	14¼	17
psíquico 0		3 T	6 T	12 T	18 T	21 T	24 T
sexual			100 π / 10 T		200 π / 20 T	
[7 ¾] 15						

A maioria das fases psíquicas se encaixaria muito bem na suposição [da existência] de ainda outras traduções ou inovações no aparelho psíquico. Observa-se também que a somação no curso da vida abrange unidades temporais cada vez maiores.

Para decidir entre perversão ou neurose, sirvo-me da bissexualidade de todos os seres humanos. Num ser puramente masculino haveria, também nas duas barreiras sexuais, um excesso de liberação masculina, portanto, produção de prazer e, em consequência, perversão; no puramente feminino, um excesso de substância desprazerosa nessas ocasiões. Nas primeiras fases, ambas as liberações seriam paralelas, isto é, produziriam um excesso normal de prazer. Daí é possível explicar a preferência das mulheres genuínas pelas neuroses de defesa.

Desse modo, a natureza intelectual dos homens estaria comprovada na base da tua teoria.

Por fim, não posso ignorar [unterdrücken][24] a suposição de que a distinção, clinicamente identificada por mim, entre a neurastenia e a neurose de angústia esteja ligada à existência de ambas as substâncias de 23 e de 28 dias. Além das duas aqui supostas, poderia haver várias de cada espécie.

42 OBRAS INCOMPLETAS DE S. FREUD

A histeria me é cada vez mais apontada como consequência da *perversão* do sedutor; a hereditariedade *cada vez mais* como sedução por parte do pai. Assim, surge uma alternância entre as gerações:

1ª geração: perversão.

2ª geração: histeria, que então é estéril. Às vezes, na mesma pessoa uma metamorfose: perversa na idade vigorosa e depois, a partir de um período de angústia: histérica. Afinal, a histeria não é sexualidade repudiada [*abgelehnte*], mas, melhor dizendo, *perversão repudiada*.

Por trás disso, então, a ideia das *zonas erógenas* abandonadas, isto é, na infância a liberação sexual seria obtida por várias partes do corpo, as quais então, posteriormente, só conseguem liberar a substância da angústia de 28 dias, e não as outras. Nessa diferenciação e limitação residiriam o progresso da cultura e o desenvolvimento moral e individual.

O ataque histérico não é um descarregamento [*Entladung*], e sim uma *ação* e preserva o caráter original de qualquer ação – o de ser um meio de reprodução de prazer. Isso é o que ele é ao menos essencialmente; além disso, ele se motiva a partir do pré-consciente com toda espécie de outras razões. Assim, têm ataques de sono aqueles doentes aos quais foi feito algo sexual *enquanto dormiam*; eles voltam a dormir para vivenciar a mesma coisa e, com isso, provocam em si frequentemente desmaios histéricos; a tontura, os acessos de choro, tudo isso visa ao *outro*, na maioria das vezes, no entanto, visa àquele outro pré-histórico inesquecível, que ninguém mais pode alcançar. Até o sintoma crônico de *ficar deitado na cama* [*Bettsucht*][25] se explica assim. Um de meus pacientes ainda choraminga dormindo, tal como fazia

NEUROSE, PSICOSE, PERVERSÃO 43

naquela época (para ser levado para a cama pela mãe, que morreu quando ele tinha 22 meses); o ataque nunca parece ocorrer como "expressão intensificada da emoção".[26,27]

Eis um pouquinho da minha experiência cotidiana: uma de minhas pacientes, em cuja história o pai altamente perverso desempenha o papel principal, tem um irmão mais novo que é tido como um perfeito mau-caráter. Um belo dia ele aparece em meu consultório para declarar, chorando, que não é um mau-caráter, e sim um doente com impulsos anormais e uma inibição da vontade. Além disso, ele se queixa, num comentário totalmente à parte, do que certamente são dores de cabeça de origem nasal. Eu lhe recomendo procurar a irmã e o cunhado, os quais ele vai efetivamente visitar. De noite, a irmã me chama por causa de uma situação grave. Fico sabendo no dia seguinte que após a partida do irmão ela teve um acesso, dos mais pavorosos, de dor de cabeça, que ela normalmente nunca tem. Motivo: o irmão tinha contado que quando tinha 12 anos, sua atividade sexual consistia em beijar (lamber) os pés das irmãs quando elas se despiam de noite. A respeito disso chegou a ela no inconsciente a lembrança de uma cena na qual ela (com 4 anos) observa o pai, em pleno arrebatamento sexual, lambendo os pés de uma ama de leite. Com isso ela tinha intuído que as preferências sexuais do filho derivavam das do pai. Logo, que este fora também o sedutor do filho. Agora ela podia identificar-se com ele e assumir sua dor de cabeça. Ela pôde fazê-lo, aliás, porque na mesma cena o pai enfurecido havia atingido com a bota a cabeça da criança escondida (embaixo da cama).

O irmão odeia qualquer perversidade, ao mesmo tempo que sofre de impulsos compulsivos. Portanto, ele recalcou determinados impulsos que são substituídos por outros com compulsão. Esse é, de modo geral, o segredo dos impulsos compulsivos [*Zwangsimpulse*]. Se ele conseguisse ser perverso, seria saudável como o pai.

É interessante que o cálculo, após somas sucessivas, não revela *nada*, quer se inclua ou não o período intrauterino nas contas.

I. $12\,\pi = T$ [período de gestação] = 276 dias (intrauterino)

+

$3 \times 12\,\pi = 3T = 2$ anos e 3 meses (extrauterino)

+

$6 \times 12\,\pi = 9T = 6$ anos e 9 meses

+

$12 \times 12\,\pi = 21T = 15$ anos e 9 meses

II. $12\,\pi = 9$ meses

+

$3 \times 12\,\pi = 4T = 3$ anos

+

$6 \times 12\,\pi = 10T = 7$ anos e 6 meses

+

$12 \times 12\,\pi = 22T = 16\ \frac{1}{2}$ anos

Isso só funciona quando os $12\,\pi$ intrauterinos são incluídos no cálculo e na soma total, como colocado na última carta.[28] Isso significa alguma coisa?

Fico feliz por eles não terem mais colocado em foco a tua conferência. Assim podemos xingá-los tranquilamente; eles são um bando de idiotas e deveriam nos deixar em paz.

Agora um assunto particular: Oscar e Melanie estiveram em casa e causaram boa impressão. Preciso voltar a gostar dele. Sobre a veracidade de um boato que vem ligando Marie B[ondy] e Robert Br[euer], *não* quero te perguntar explicitamente, apenas indicar que estou sabendo sobre ele. Desejo-lhes tudo de bom, só que tenho certeza absoluta de que não quero me encontrar com o clã dos Breuer.

Tenho estado trabalhando de 10 a 11 horas diariamente e me sentindo consideravelmente bem, mas quase rouco. Será que isso é tensão excessiva das cordas vocais ou aneurisma? Também não é preciso *nenhuma* resposta. O melhor é: *travailler sans raisonner* [trabalhar sem pensar], como aconselha o velho Candide.

Sobre a resolução espontânea da paralisia pupilar no caso do olhar fixo não sei realmente nada, e duvido que possa descobrir algo. É claro que *a priori* é muito improvável. Certamente fósforo, não é?

Agora enfeitei minha sala com cópias de estátuas florentinas. Foi uma fonte de extraordinário revigoramento para mim; estou pensando em ficar rico para poder repetir essas viagens. Um congresso[29] em solo italiano! (Nápoles, Pompeia).

As mais cordiais saudações a todos vocês.

Teu Sigm.

CARTA A FLIEß 139 [69]

Viena, 21 de setembro de 1897

Dr. Sigm. Freud
Docente de doenças nervosas
a.d. Universidade

Querido Wilhelm!

Aqui estou eu novamente, desde ontem de manhã, reanimado, bem-disposto, empobrecido, sem trabalho no momento, e escrevo a você em primeiro lugar, depois de organizada a nova moradia. E agora quero confiar-lhe, imediatamente, o grande segredo que, nos últimos meses, foi-me lentamente ficando claro. Não acredito mais em minha neurótica [*Neurotika*].[30] É claro que isso não é compreensível sem uma explicação; aliás, você mesmo considerou digno de crédito o que eu consegui te contar. Portanto, quero começar, num sentido histórico, a falar de onde surgiram os motivos para a descrença. As contínuas decepções nas tentativas de levar uma análise efetivamente a cabo, a evasão de pessoas que, durante algum tempo, estavam mais bem impressionadas, a falta de resultados plenos com os quais eu estava contando, a possibilidade de explicar a mim mesmo os resultados parciais de outra maneira que não a habitual: eis aí o primeiro grupo. Depois, a surpresa de que, em todos os casos, o *pai* tinha de ser acusado de perversão, sem excluir o meu, a constatação da inesperada frequência da histeria, na qual é sempre a mesma condição que permaneceria mantida, muito embora uma difusão como essa da perversão contra crianças seja pouco provável. (A perversão tem de ser incomensuravelmente mais frequente do que a histeria, pois o adoecimento só aparece quando há um acúmulo de eventos e quando se soma um fator que enfraquece a defesa.) Depois, em terceiro lugar, a constatação segura de que não há um signo de realidade [*Realitätszeichen*] no inconsciente, de forma que não se pode distinguir entre a verdade e a ficção investida com afeto. (Assim, restaria a solução de que a fantasia sexual se apodera regularmente do tema dos pais.) Em quarto lugar, a ponderação de que a lembrança inconsciente não vem à tona na psicose mais profunda, de maneira que o segredo das vivências juvenis não pode ser revelado nem mesmo no delírio mais confuso. Se vemos, então, que o inconsciente jamais supera a resistência do consciente, diminui também a expectativa de que no tratamento [*Kur*] possa acontecer o inverso, até a completa domesticação [*Bändigung*] do inconsciente pelo consciente.

Eu estava tão influenciado por isso que estive prestes a desistir de duas coisas: da solução plena de uma neurose e do conhecimento seguro de sua etiologia na infância. Agora não sei absolutamente como me situar, pois não conseguir chegar à compreensão teórica do recalcamento e de seu jogo de forças. Parece novamente discutível que somente as vivências posteriores deem ensejo a fantasias que remontam à infância, e, com isso, o fator da disposição hereditária recupera um âmbito de poder do qual eu havia me proposto a removê-lo [*zu verdrängen*][31] – no interesse do esclarecimento da neurose.

Se eu estivesse irritado, confuso, extenuado, essas dúvidas poderiam ser interpretadas como sinais de fraqueza. Como me encontro no estado oposto, preciso reconhecê-las como resultado de um trabalho intelectual honesto e vigoroso e me orgulhar de ainda ser capaz de tecer essa crítica depois de ter ido tão fundo. Será que essa dúvida representa apenas um episódio no avanço de um novo conhecimento?

É curioso, também, que não tenha havido nenhum sentimento de vergonha, para o qual, afinal, poderia haver motivo. É claro que não vou contar isso em Dan, não vou falar sobre isso em Ascalon,[32] terra dos filisteus, mas diante de você e cá para mim tenho, na verdade, mais o sentimento de uma vitória do que de uma derrota (o que certamente não é correto).[33]

Que bom que a tua carta acaba de chegar! Ela faz com que eu antecipe uma proposta com a qual eu queria concluir. Se, neste tempo ocioso, eu for à Estação Norte, estarei com você no domingo na hora do almoço e posso voltar na noite seguinte. Você pode liberar esse dia para um idílio a dois, interrompido por um idílio a três e três e meio? Era isso que eu queria perguntar. Ou você estará com um convidado querido em casa ou tem algo urgente a fazer fora de casa? Ou – se eu tiver de voltar para casa de noite, o que não valeria a pena – estariam valendo as mesmas condições para o caso de eu ir para a Estação Norte na sexta de noite e ficar um dia e meio com você?

Agora vou continuar a minha carta. Altero a afirmação de Hamlet: *"To be in readiness"*[34] [estar preparado] para: "estar animado é tudo". A rigor, eu poderia estar muito insatisfeito. A expectativa da fama eterna era tão boa, assim como a da segurança da riqueza, a total independência, viajar, elevar as crianças acima das preocupações graves que me levaram a juventude. Tudo dependia de a histeria ser ou não entendida. Agora [que] posso ficar calmo e modesto novamente, preocupar-me e economizar, eis que me ocorre a [seguinte] curta história da minha coleção: "Rebeca, vá tirar o vestido, você não é mais noiva".[35] Mas, apesar de tudo isso, estou muito animado e satisfeito por você sentir uma necessidade, semelhante à minha, de me ver novamente.

Ainda resta uma pequena angústia. O que posso entender sobre as tuas questões? Certamente incapaz de avaliá-las criticamente, mal estarei em condições de compreendê-las, e a dúvida que então surge não é um produto de trabalho intelectual, como a minha própria dúvida sobre minhas questões, mas sim o resultado de insuficiência intelectual. É mais fácil para você, você pode entender tudo o que eu trago e fazer uma crítica vigorosa.

Preciso acrescentar mais uma coisa: nesse colapso de tudo o que é valioso, apenas o psicológico permaneceu incólume. O sonho ainda está firme, e os inícios do meu trabalho metapsicológico só ganharam admiração. Pena que não se possa viver, por exemplo, de interpretar sonhos.

Martha voltou comigo a Viena, Minna e as crianças ainda ficam uma semana fora. Todos estiveram excelentemente bem.

Meu aluno, o Dr. Gattel, foi parte da minha decepção. Apesar de muito talentoso e inteligente, graças ao seu nervosismo e a diversos traços desfavoráveis de caráter, pode bem ser classificado como intragável.

Sobre como vão vocês todos e o que mais está acontecendo entre o céu e a terra espero — antecipando a tua resposta — saber logo pessoalmente.

Cordialissimamente, teu Sigm.

CARTA A FLIEß 228 [125]

Viena, 9 de dezembro de 1899

Dr. Sigm. Freud   IX., Berggasse 19
Docente de doenças nervosas
a.d. Universidade

Querido Wilhelm!

Tua última presença aplacou um pouco mais a minha sede de notícias pessoais a teu respeito. Posso, então, tranquilamente voltar-me às questões científicas.

Talvez eu tenha tido êxito recentemente em um primeiro vislumbre de coisas novas. Tenho diante de mim o problema da "escolha da neurose". Quando é que um ser humano se torna histérico em vez de paranoico? Uma primeira tentativa tosca, na época em que eu queria tomar a cidadela à força, supunha que dependia da idade em que ocorrem os traumas sexuais, da idade na vivência. Isso foi abandonado há muito tempo, mas fiquei, então, sem nenhuma suspeita até há poucos dias, quando se abriu para mim um nexo com a teoria sexual.

A mais inferior das camadas sexuais é o autoerotismo, que renuncia a uma meta psicossexual e só exige a sensação satisfatória local. É seguido, então, pelo alo- (homo e hétero) erotismo, mas ele certamente continua a existir como uma corrente separada. A histeria (e sua variante, a neurose obsessiva) é aloerótica, sua via principal é a da identificação com a pessoa amada. A paranoia torna a diluir a identificação, reinstaura todas as pessoas amadas que foram abandonadas na infância (comparar com a discussão sobre os sonhos de exibicionismo) e dissolve [auflösen] o próprio Eu em pessoas estranhas. Assim, passei a considerar a paranoia como um assalto da corrente autoerótica, como um retorno ao ponto anterior. A formação de perversão a ela correspondente seria a assim chamada loucura original. As relações singulares do autoerotismo com o Eu originário lançariam uma boa luz sobre o caráter dessas neuroses. Aqui se rompe novamente o fio da meada.

Quase que simultaneamente, dois de meus pacientes produzem recriminações após o próprio tratamento e a morte dos pais e me mostram que meus sonhos a esse respeito foram típicos. A recriminação está fadada a se ligar, todas as vezes, à vingança, à satisfação com a desgraça alheia [Schadenfreude] e à satisfação diante das dificuldades excretórias dos doentes (urina e fezes). Um canto realmente esquecido da vida psíquica.

L.G. está progredindo, mas é provável que permaneça uma trabalhadora lenta. No entanto, não vejo razão para temer um fracasso em nenhum ponto.

14 de dezembro. É mesmo uma raridade você escrever antes de mim. A desolação dos últimos dias me impediu de terminar. Uma época natalina em que precisamos nos abster de fazer compras pesa-me sobre o ânimo. Que Viena não seja o lugar certo para nós estamos cansados de saber. A discrição exigiu que eu não te afastasse demais de tua família. A reivindicação mais antiga encontrou

oposição por parte da mais íntima. Assim, a despedida na estação foi somente simbólica.

Tua notícia sobre o punhado de leitores em Berlim muito me alegra. Leitores, eu bem que também os tenho por aqui, mas para seguidores ainda não chegou o tempo. Há demasiadas coisas novas e inacreditáveis, e muito poucas provas rigorosas. Também não consegui convencer o meu filósofo, embora ele me tivesse fornecido as mais brilhantes comprovações. A inteligência é sempre fraca, e para o filósofo é fácil transformar a resistência interna em refutação lógica.

Mais uma vez há um caso novo em perspectiva. Salvo por meu resfriado, a saúde reina entre nós. Volto a escrever antes que o rebento chegue à tua casa.

As mais cordiais saudações a todos.

Teu Sigm.

54 OBRAS INCOMPLETAS DE S. FREUD

1950 *Aus den Anfängen der Psychoanalyse*, estabelecida por Marie Bonaparte, Anna Freud e Ernst Kris

1985 *The complete letters of Sigmund Freud to Wilhelm Fließ* (1887-1904), editadas por J. M. Masson

1986 *Briefe an Wilhelm Fließ*, 1887-1904. Ungekürzte Ausgabe.

É difícil exagerar a importância que a correspondência com Fließ teve para a constituição das principais linhas de força do pensamento de Freud. Em 6 de outubro de 1910, numa carta a Ferenczi, alguns anos depois da ruptura com Fließ, no contexto de seu esforço de desinvestir o afeto dirigido a este, Freud escreve uma frase que se tornou célebre: "Uma porção de investimento homossexual foi retraída e empregada no engradencimento do próprio Eu. Foi-me possível ter êxito onde fracassa o paranoico".

A existência desses documentos não era conhecida até a Segunda Guerra Mundial. Foi o pulso firme da princesa Marie Bonaparte que, além de adquirir o material, logrou conservá-lo apesar das instâncias do próprio Freud de destruí-lo, devido a seu caráter íntimo. A primeira edição completa desse material apareceu apenas em 1985, depois que Jeffrey Masson convenceu Anna Freud de sua importância.

Freud e Fließ se conheceram no outono de 1887, em Viena. Freud tinha 31 anos, Fließ era dois anos mais novo. Freud, recém-casado com Martha Bernays, acabara de montar seu consultório médico; Fließ era otorrinolaringologista em Berlim. A família de sua esposa, Ida Bondy, era próxima dos Breuer. A troca epistolar entre os dois homens durou mais de 15 anos.

A seleção temática que o leitor tem em mãos pretende apenas oferecer algumas pinceladas de um complexo quadro de ideias muitas vezes incompletas, às vezes incongruentes, mas que, de alguma forma, fornecem os impulsos iniciais da reflexão freudiana acerca dos temas discutidos neste volume.

Durante a década de 1890, Freud havia enviado a Fließ diversos *Manuscritos*, que contêm rascunhos de artigos posteriormente desdobrados. Para o tema deste volume, selecionamos, por sua pertinência temática, dois manuscritos. O Manuscrito H, de 24 de janeiro de 1895, intitulado "Paranoia", juntamente com o Manuscrito K, de 1 de janeiro de 1896, intitulado "As neuroses de defesa (Conto de fadas natalino)", apresentam, entre outras coisas, ideias seminais da nosografia freudiana relacionadas aos diferentes mecanismos de defesa ou formas de negação de cada entidade nosográfica. Eles destacam o papel da sexualidade e abordam o decisivo tema da "escolha da neurose". O importante artigo

"Observações adicionais sobre as neuropsicoses de defesa", publicado pouco tempo depois, formaliza e consolida esse material.*

A famosa Carta 112 [52], de 6 de dezembro 1896, é, com justiça, considerada uma das mais importantes. Ela apresenta um esboço da teoria do aparelho psíquico, que será desenvolvido em diversos sentidos. Ela tem ainda o interesse de articular a reflexão clínica e nosográfica – ao distinguir histeria, neurose obsessiva, paranoia e perversão – à reflexão tópica. O leitor poderá estranhar um longo desenvolvimento de quase duas páginas em que Freud se esforça para vincular suas descobertas à teoria de Fließ acerca dos "períodos", esforço que logo se demonstrará infecundo. A edição de 1950, assim como a *Standard Edition*, preferiu omitir esse trecho. De todo modo, cabe ao leitor, e não aos editores, excluir ou não o que assim desejar.

Completam essa seleção a Carta 139 [69], de 21 setembro 1897, em que Freud abandona sua teoria da sedução ("Não acredito mais em minha neurótica") e reavalia as relações entre histeria e perversão; e a Carta 228 [125], de 9 de dezembro de 1899, que retorna ao importante tema dos diferentes modos de adoecimento, que será retomado em 1912, em "Sobre tipos neuróticos de adoecimento" (neste volume).

---

* Nesta coleção, os dois artigos sobre as "Neuropsicoses de defesa" serão incluídos no volume *Histeria, obsessão e outras neuroses*. (N.E.)

NOTAS

[1] LESSING, G. *Emilia Galotti*, ato IV, cena 7. (N.T.)

[2] Aqui Freud parece ter empregado o termo em um sentido não técnico. Nos casos em que, ao contrário, refere um dos termos da pulsão [*Trieb*], traduzimos *Drang* por "pressão", seu fator motor. (N.R.)

[3] Segundo Masson, editor do original das Cartas a Fließ, Freud teria escrito posteriormente "a única" [*die einzige*] abaixo da linha e que o trecho também poderia ser lido como: "psiconeurose, a única". (N.T.)

[4] Segundo, Masson, o editor do original das Cartas a Fließ, no lugar de "conflito", Freud havia escrito "susto" [*Schreckes*]. (N.T.)

[5] Sobre a questão da escolha da neurose, ver Carta 228 [125], de 9 de dezembro de 1899, neste mesmo volume. (N.T.)

[6] O verbo alemão *durcharbeiten* pode ser também traduzido pelo neologismo *perlaborar*. (N.R.)

[7] Apesar de constar *Schwanken* (oscilações) no texto de partida, aparentemente o sentido aponta para *Schranken* (barreiras). (N.R.)

56 OBRAS INCOMPLETAS DE S. FREUD

[8] *Grenzvorstellung*: "representação-limite" ou "representação-fronteira". Salvo engano, essa expressão não foi mais empregada por Freud ao longo de sua obra. (N.T.)

[9] *Lücke im Psychischen* – "lacuna no psíquico" –, outra expressão que, ao que tudo indica, também não foi mais retomada ou discutida por Freud em sua obra. (N.T.)

[10] A numeração entre colchetes refere-se à seleção publicada em 1950 por Anna Freud; o outro número refere-se à edição completa estabelecida por Masson em 1985 e retomada na edição alemã de 1986. (N.E.)

[11] Traduzimos o termo *Umschrift* por "reescrita". Tomamos a liberdade de assim fazê-lo tendo em vista o fato de não se tratar de uma nova inscrição. Tomando o prefixo *um* como um movimento circular, entendemos que a palavra *Umschrift* remete mais a um escrever com o já escrito, reescrever, do que a uma nova inscrição. (N.T.)

[12] *Niedergelegt*, particípio passado de *baixar, pôr no chão, consignar, deitar por escrito*. (N.T.)

[13] Freud refere-se ao texto "Sobre a concepção das afasias" (Zur Auffassung der Aphasien: eine kritische Studie), publicado nesta coleção em 2013. Essa é uma das raras passagens em que o próprio Freud faz menção à semelhança entre o estudo das afasias e seus trabalhos posteriores. (N.T.)

[14] Freud concebe o aparelho psíquico como um sistema de escrita. Os próprios termos escolhidos mostram isso: os efeitos ou a impressão [*Eindruck*] do mundo exterior são dispostos como uma escrita [*Niederschrift*] e posterior reescrita [*Umschrift*] do signo [*Zeichen*], que se modifica em traço de memória [*Erinnerungsspur*]. Todos esses processos são da ordem da escrita. Se Freud insiste em caracterizar esse material como literal, está nos dizendo que o inconsciente, sistema de memória, tem como suporte a dimensão do escrito. Isso está também de acordo com a reorganização [*Umordnung*] proposta por Freud no texto. (N.T.)

[15] As siglas designam P: percepções; sP: signos de percepção; Ic: inconsciência; Pc: pré-consciência; Cs: consciência. No original alemão, correspondem·a *W: Wahrnehmungen*; *Wz: Wahrnehmungszeichen*; *Ub: Unbewusstsein*; *Vb: Vorbewusstsein*; *Bew: Bewusstsein*. (N.E.)

[16] Note-se que Freud faz uso da forma *Unbewusstsein* (inconsciência) e não ainda da forma que se tornaria célebre, *Das Unbewusste:* o inconsciente. O mesmo vale para a instância seguinte, a pré-consciência. Por essa razão, não empregamos aqui a consagrada sigla ICS (inconsciente), mas apenas Ic. (N.E.)

[17] *Übersetzung* tem em "tradução" a sua acepção mais usual, embora possa·aqui também ser interpretado como "transposição". (N.R.)

NEUROSE, PSICOSE, PERVERSÃO 57

[18] O termo *fuero*, em espanhol no original, deriva do latim *forum* ("foro" em português). De maneira geral, designa o conjunto de direitos locais espanhóis da Idade Média. Originalmente, o *fuero* não era necessariamente escrito. Na modernidade, o termo adquiriu uma nova significação. Com a unificação da nação espanhola sob a égide do direito castelhano, muitos de seus territórios passam a reivindicar sua própria constituição frente ao centralismo do Estado moderno. Os *fueros* passam a significar, pois, o "direito especial de uma região", como de Aragão, Navarra ou Valência. (Cf. GARCÍA-GALLO DE DIEGO, Alfonso. Aportación al estudio de los fueros. *Anuario de historia del derecho español*, n. 26, p. 387-446, 1956.) (N.E.)

[19] Os próximos parágrafos ligam as suposições sobre a função do aparelho psíquico com aquelas sobre a posição privilegiada do recalcamento como defesa contra traumas sexuais. Essas suposições encontram-se ainda no campo da "hipótese de sedução". (N.T.)

[20] Freud levantou o problema da perversão pela primeira vez no Manuscrito K, publicado neste volume. (N.T.)

[21] Na versão original editada por Moussaieff Masson (p. 221) consta que a expressão foi corrigida para "as primeiras" (*A correspondência completa de Sigmund Freud para Wilhelm Fließ – 1887-1904*. Editado por Jeffrey Moussaieff Masson; tradução de Vera Ribeiro. Rio de Janeiro: Imago, 1986). (N.T.)

[22] O trecho que segue continua na Carta 113 e constitui o auge dos esforços de Freud em ligar seus pontos de vista aos de Fließ. (N.T.) [A primeira edição alemã (*Aus den Anfängen der Psychoanalyse*), assim como a edição inglesa (*Standard Edition*), omitiu o trecho abaixo. Na presente edição, a cor cinza indica trechos suprimidos naquelas edições. (N.E.)]

[23] Nessa clara, e fracassada, tentativa de Freud de estabelecer relações entre suas teses e as de Fließ, a letra grega pi (π) é utilizada como abreviação para *Periode* (período). (N.R.)

[24] Quando usado como vocábulo da metapsicologia, trata-se do *reprimir*, relacionado ao *recalcar* [*verdrängen*]. Aqui parece o caso de um uso corrente, como "deixar de lado", "não levar em conta". (N.R.)

[25] Literalmente, algo como "vício do leito". (N.R.)

[26] No artigo "As psiconeuroses de defesa" (1894) Freud cita a frase de Oppenheim: "a histeria é uma expressão intensificada de emoção" [*gesteigerter Ausdruck der Gemütsbewegung*]. (N.T.)

[27] A edição *Standard*, seguindo a primeira edição alemã [*Anfängen*], interrompe a carta nesse ponto. (N.E.)

[28] Trata-se desta mesma carta, e não da carta anterior. (N.T.)

[29] Ironicamente, Freud e Fließ chamavam seus encontros de "congressos". (N.R.)

58 OBRAS INCOMPLETAS DE S. FREUD

[30] Referência acerca de sua teoria sobre a etiologia das neuroses. (N.R.)

[31] O verbo *verdrängen*, traduzido por "recalcar" em contextos teóricos, parece aqui ser usado num sentido mais cotidiano, como o de "remover", "pôr de lado". (N.R.)

[32] Alusão à passagem bíblica do *Segundo Livro de Samuel*, capítulo 1, versículo 20: "Não o conteis em Gat, nem o proclameis nas ruas de Ascalon para que não se alegrem as filhas dos filisteus" (tradução da CNBB. São Paulo: Loyola, 2002). (N.R.)

[33] Em uma nota agregada, em 1924, ao artigo "Observações adicionais às neuropsicoses de defesa" (1896), (especificamente na Parte II, "Natureza e mecanismo da neurose obsessiva"), a ser publicado nesta coleção, no volume *Histeria, obsessão e outras neuroses*, encontramos o seguinte: "Esta seção está sob o domínio de um erro que, desde então, repetidamente reconheci e corrigi. Na época, eu ainda não sabia distinguir entre as fantasias dos analisandos sobre sua infância e as recordações reais. Em consequência disso, atribuí ao fator etiológico da sedução uma importância e uma validade universal que ele não possui. Após a superação desse erro, abriu-se o panorama para as manifestações espontâneas da sexualidade infantil, que descrevi em "Três ensaios sobre a teoria sexual", em 1905. Nem por isso o conteúdo do texto acima deve ser desprezado; a sedução preserva uma certa importância para a etiologia e ainda hoje considero também pertinentes alguns comentários psicológicos". (N.T.)

[34] SHAKESPEARE. *Hamlet*, V, 2: "The readiness is all". Em alemão: "*In Bereitschaft (oder: bereit) sein ist alles*" (estar preparado é tudo). (N.T.)

[35] O sentido da frase é oferecido por Max Schur (*Freud: vida e agonia. Uma biografia*. Trad. Marco Aurélio de Moura Matos. Rio de Janeiro: Imago, 1981, p. 234): "Você já foi uma noiva orgulhosa, mas meteu-se em encrencas e o casamento está desfeito. Vá tirar o vestido de noiva". (N.T.)

SOBRE O SENTIDO ANTITÉTICO[1] DAS PALAVRAS PRIMITIVAS (1910)

Em minha *Interpretação dos sonhos* fiz uma afirmação – a partir de um resultado não compreendido do trabalho analítico – que agora repetirei para iniciar esta exposição[i]:

> Chama-nos especialmente a atenção o modo como o sonho se relaciona com a categoria da oposição e da contradição. Ela simplesmente é ignorada. O "não" parece não existir para o sonho. Oposições são preferencialmente combinadas em uma unidade ou apresentadas como uma mesma coisa. O sonho também se dá a liberdade de representar um elemento pelo seu oposto de desejo [*Wunschgegensatz*], de modo que, à primeira vista, não se sabe – de nenhum elemento que admita um oposto – se ele está contido nos pensamentos de sonho [*Traumgedanken*][2] de maneira positiva ou negativa.

Os intérpretes de sonhos da Antiguidade parecem ter feito extenso uso da suposição de que uma coisa no sonho pode significar seu contrário. Ocasionalmente, essa possibilidade também é reconhecida por modernos pesquisadores do sonho, quando atribuíram sentido e

---

[i] 2ª edição, p. 232, no capítulo VI: "O trabalho do sonho" [2. Aufl., *Ges. Werke*, S. 232, im Abschnitte VI: "Die Traumarbeit"].

possibilidade de interpretação a eles.[i] Eu também acredito não levantar nenhuma contestação, se suponho que todos aqueles que me seguiram pelo caminho de uma interpretação científica do sonho encontraram confirmação para a afirmação acima citada.

Para compreender a tendência peculiar do trabalho do sonho de prescindir da negação [*Verneinung*] e de expressar elementos opostos por meio dos mesmos recursos figurativos, deparei-me inicialmente com a leitura acidental de um trabalho do linguista [*Sprachforschers*][3] K. Abel, publicado em 1884 como folheto separado, e no ano seguinte incluído nos *Ensaios de linguagem* [*Sprachwissenschaftliche Abhandlungen*] do autor.[4] O interesse do tema justificará que eu cite aqui literalmente as passagens decisivas do ensaio de Abel (embora omitindo a maioria dos exemplos). De fato, estaremos obtendo o esclarecimento surpreendente de que a indicada prática do trabalho do sonho coincide com uma peculiaridade das mais antigas línguas conhecidas por nós.

Depois de Abel destacar a antiguidade da língua egípcia, que deve ter se desenvolvido muito tempo antes das primeiras inscrições hieroglíficas, ele continua (p. 4):

> Na língua egípcia, essa relíquia única de um mundo primitivo, encontra-se um considerável número de palavras com dois significados, dos quais um é o oposto exato do outro. Imaginemos, se é que se pode imaginar um patente absurdo como esse, que a palavra "forte" [*stark*] na língua alemã signifique tanto "forte" como "fraco" [*schwach*]; que o substantivo "luz" [*Licht*] seja

---

[i] Ver, por exemplo, G. H. v. Schubert, *O simbolismo do sonho*, 4. ed., 1862, Cap. 2, "A linguagem do sonho" [*Die Symbolik des Traumes*, 4. Aufl., 1862, Kap. 2. "Die Sprache des Traumes"].

usado em Berlim tanto para designar "luz" quanto "escuridão" [*Dunkelheit*]; que um cidadão de Munique chame a cerveja de "cerveja" [*Bier*], enquanto outro usa a mesma palavra para falar de água [*Wasser*]. E assim temos a prática surpreendente que os antigos egípcios utilizavam regularmente em sua língua. Como podemos censurar alguém que diante disso balance a cabeça, incrédulo?... [exemplos].

[*idem*, p. 7:] Em vista deste e de outros casos semelhantes de significação antitética (ver Apêndice), não pode haver nenhuma dúvida de que pelo menos em *uma* língua existiu uma abundância de palavras que designassem, ao mesmo tempo, uma coisa e o oposto dessa coisa. Por mais assombroso que pareça, estamos diante de um fato e temos de reconhecê-lo.

O autor recusa, então, a explicação desse estado de coisas a partir de coincidências homofônicas e protesta, com idêntica firmeza, contra a tentativa de remetê-las ao baixo nível de desenvolvimento intelectual dos egípcios:

[*idem*, p. 9:] Mas o Egito não era, de modo algum, a terra do absurdo. Ao contrário, ele foi um dos mais antigos berços da razão humana [...]. Ele conheceu uma moral pura e digna, e formulou boa parte dos 10 mandamentos, enquanto os povos pertencentes à atual civilização tinham o costume de sacrificar vítimas humanas aos ídolos sedentos de sangue. Um povo que acendeu a tocha da justiça e da cultura em tempos tão obscuros não pode ter sido completamente estúpido em suas falas e seus pensamentos cotidianos [...]. Quem fabricou vidro e conseguiu erguer e movimentar blocos imensos com máquinas precisa ao menos ter tido juízo o suficiente para não considerar uma coisa por si mesma e ao mesmo tempo pelo seu contrário. Como, então, conciliar isso com o fato de os egípcios terem admitido uma linguagem tão singularmente contraditória? [...] que eles atribuíssem aos mais díspares pensamentos o mesmo veículo sonoro e que conseguissem conectar, numa espécie de união indissolúvel, o que reciprocamente se opõe com a máxima intensidade?

Antes de qualquer tentativa de explicação, é preciso considerar ainda uma exacerbação desse processo incompreensível da língua egípcia.

De todas as excentricidades do léxico egípcio, talvez a mais extraordinária seja que, além das palavras que reúnem em si significados opostos, ele ainda possui palavras compostas, nas quais dois vocábulos de significação oposta formam um que possui o significado de apenas um de seus membros constitutivos. Portanto, existem nessa língua extraordinária não apenas palavras que significam tanto "forte" [*stark*] como "fraco" [*schwach*] ou tanto "ordenar" [*befehlen*] como "obedecer" [*gehorchen*]; há também compostos, tais como "velhojovem" [*altjung*], "longeperto" [*fernnah*], "ligarseparar" [*bindentrennen*], "foradentro" [*ausseninnen*] [...] que, apesar de incluírem em sua composição o que há de mais diverso entre si, significam: a primeira apenas "jovem" [*jung*], a segunda apenas "perto" [*nah*], a terceira apenas "ligar" [*verbinden*], a quarta apenas "dentro" [*innen*]. Temos, então, nessas palavras compostas, algumas contradições conceituais reunidas deliberadamente, não para criar um terceiro conceito, como ocasionalmente acontece com o chinês, mas apenas para expressar, por meio da palavra composta, o significado de uma de suas partes contraditórias que, isolada, poderia significar a mesma coisa [...].

No entanto, o enigma se resolve mais facilmente do que parece. Nossos conceitos se originam de comparações.[5]

Se sempre estivesse claro [*hell*], não poderíamos distinguir entre claro e escuro [*dunkel*] e, portanto, não teríamos nem o conceito nem a palavra para a claridade [*Helligkeit*] [...]. É evidente que tudo neste planeta é relativo e tem existência independente, mas apenas na medida em que se diferencia em suas ligações com outras coisas [...]. Tendo em vista que todo conceito é o gêmeo de seu oposto, como ele poderia, de início, ser pensado, e como poderia ser comunicado a outras pessoas que tentavam concebê-lo, a não ser medindo-o pelo seu oposto? [...].

[p. 15:] Já que não se podia conceber o conceito de força [*Stärke*], a não ser em oposição a fraqueza [*Schwäche*], então a palavra que significava "forte" [*stark*] continha uma lembrança simultânea de "fraco" [*schwach*], através da qual ela ganhou existência. Essa palavra, na verdade, não significava nem "forte" [*stark*] nem "fraco" [*schwach*], mas a relação entre ambas e a diferença de ambas, que as criou na mesma medida [...]. O ser humano, de fato, não pôde obter seus mais antigos e mais simples conceitos a não ser por oposição ao seu oposto,[6] e só gradualmente pôde distinguir os dois lados da antítese e aprendeu a pensar em um deles sem medi-lo conscientemente com o outro.

Como a linguagem serve não apenas para a expressão dos próprios pensamentos, mas essencialmente para comunicá-los a outros, podemos levantar a questão de como o "egípcio primevo" [*Urägypter*] dava a entender a seu próximo "a qual parte do conceito dual ele estava se referindo a cada vez". Na escrita isso acontecia com o auxílio das assim chamadas imagens "determinativas", que, colocadas atrás dos caracteres alfabéticos, indicavam o seu sentido, mesmo não sendo adequadas para a pronúncia.

[*idem*, p. 18:] Quando a palavra egípcia *ken* devia significar "forte", atrás de seu som escrito alfabeticamente, era colocada a imagem de um homem em pé e armado; quando a mesma palavra devia expressar "fraco", às letras que figuravam o som seguia a imagem de um ser humano agachado de maneira largada. De modo semelhante, a maioria das outras palavras ambíguas era acompanhada de imagens explicativas.

Na opinião de Abel, na língua, os gestos serviam para dar o sinal desejado à palavra falada.

É nas "raízes antigas" que se observa, segundo Abel, o surgimento do duplo sentido antitético. No desenvolvimento posterior da língua desapareceu essa equivocidade e, pelo menos na língua egípcia antiga, foi possível acompanhar todas as transições até a univocidade do léxico moderno. "As palavras, originalmente, de duplo sentido, separam-se, na língua posterior, em duas com um único sentido, em um processo através do qual cada um dos sentidos opostos toma para si apenas uma "redução" (modificação) fonética da mesma raiz. Assim, já na língua hieroglífica, *ken*, "fortefraco", divide-se em *ken*, "forte", e *kan*, "fraco". "Em outras palavras, os conceitos que só podiam ser encontrados como antitéticos ocuparam o espírito humano em medida suficiente para possibilitar a cada uma de suas duas partes uma existência autônoma e para lhes encontrar um substituto fonético separado".

A prova da existência de significações primordiais contraditórias — facilmente estabelecida para a língua egípcia — estende-se também, segundo Abel, às línguas semíticas e indo-europeias. "É preciso aguardar para se saber até onde isso pode acontecer em outras famílias linguísticas; pois, embora a antítese possa estar presente originariamente nos

NEUROSE, PSICOSE, PERVERSÃO **65**

pensadores de cada raça, não foi necessário que ela tenha sido reconhecível ou conservada nas significações em geral". Abel destaca, a seguir, que o filósofo Bain, aparentemente sem conhecimento dos fenômenos efetivos, sustentou esse duplo sentido das palavras como uma necessidade lógica, utilizando fundamentos puramente teóricos. O trecho em questão (*Logic I*, p. 54) se inicia com as seguintes frases:

> *The essential relativity of all knowledge, thought or consciousness cannot but show itself in language. If everything that we can know is viewed as a transition from something else, every experience must have two sides; and either every name must have a double meaning, or else for every meaning there must be two names.*[7]

Do "Apêndice de exemplos de antíteses das línguas egípcia, indo-germânica e arábica" destaco alguns casos que podem causar impressão até em nós, que não somos especialistas em linguagem [*Sprachunkundigen*]: em Latim, *altus* significa alto [*hoch*] e profundo [*tief*]; *sacer*, sagrado [*heilig*] e maldito [*verflucht*]; nesses casos, portanto, subsiste a antítese completa, sem modificação no som da palavra [*Wortlautes*]. A alteração fonética para a distinção dos contrários é ilustrada com exemplos como: *clamare*, gritar [*schreien*] – *clam*, baixo [*leise*], quieto [*still*]; *sicus*, seco [*trocken*] – *succus*, suco [*Saft*]. Em alemão, *solo/chão/terra* [*Boden*] significa ainda hoje o mais alto [*das Oberste*] e o mais baixo [*das Unterste*] na casa. Ao nosso *bös* (*schlecht*) [mau] corresponde um *bass* (*gut*) [bom]; em saxão antigo temos *bat* (*gut*) [bom], contra o inglês *bad* (*schlecht*) [mau]; em inglês *to lock* (*schliessen*) [fechar], contra o alemão *Lücke*, *Loch* [lacuna, buraco]. Em alemão *kleben* [colar], e em inglês *to cleave* (*spalten*) [clivar]; em alemão *Stumm* [calado] – *Stimme* [voz], etc. Desse modo, talvez a risível derivação *lucus a non lucendo*[8] chegaria a um bom sentido. Em seu ensaio sobre "A origem da linguagem" (1885, p. 305), Abel chama a atenção sobre outros vestígios de antigos esforços de pensamento. Ainda hoje, para dizer "sem" [*ohne*], o inglês diz *without*, portanto "comsem" [*mitohne*], e igualmente o prussiano oriental. O próprio *with*, que hoje corresponde ao nosso *mit* [com], originalmente queria dizer tanto "com" [*mit*] como "sem" [*ohne*], tal como em *withdraw* [*fortgehen*] [retirar-se, ir embora] reconhecemos *withhold* [*entziehen*] [reter]. Reconhecemos essa transformação no alemão *wider* [*gegen*] [contra] e *wieder* [juntamente com].

Para a comparação com o trabalho do sonho, tem importância ainda outra peculiaridade altamente singular da língua do antigo Egito. "Em egípcio, as palavras podem – diremos, de início, aparentemente, *inverter igualmente som e sentido*. Suponhamos que a palavra alemã *gut* [bom] fosse egípcia. Ela poderia significar, além de "bom", "mau", e poderia soar, além de *gut, tug*. De tais inversões fonéticas, que são muito numerosas para que se possa explicá-las como ocorrência fortuita, também é possível trazer numerosos exemplos das línguas arianas e semíticas. Se nos limitarmos, em princípio, às línguas germânicas, temos: *Topf* [pote em alemão] e *pot* [pote em inglês]; *boat* – *tub* [barco e banheira em inglês]; *wait* – *täuwen* [aguardar, tardar em inglês e em alemão]; *hurry* – *Ruhe* [pressa em inglês e calma em alemão]; *care* – *reck* [cuidado e preocupação em inglês]; *Balken* – *klobe, club* [viga e cepo em alemão e em inglês]. Se passamos às outras línguas indogermânicas, o número de casos significativos aumenta correspondentemente, por exemplo: *capere* – *packen* [tomar em latim e agarrar em alemão]; *ren* – *Niere* [rim em latim e em alemão]; *leaf* [*Blatt*] – *folium* [folha em inglês e em latim]; *dum-a* [pensamento em russo], Θυμός [*Thymós*] [espírito e coragem em grego]; *mêdh, mûdha* [mente em sânscrito] – *Mut* [coragem em alemão]; *Rauchen* [fumar em alemão] – *Kur-íti* [fumar em russo]; *kreischen* – *to shriek* [gritar em alemão e em inglês], etc.

Abel tenta explicar o fenômeno de *inversão fonética* por uma duplicação ou reduplicação das raízes. Neste ponto encontraríamos uma dificuldade para seguir o pesquisador. Lembramo-nos de como as crianças gostam de brincar com a inversão fonética das palavras e do quanto é frequente o trabalho do sonho se servir, para diversos fins, da inversão de seu material figurativo (nesse caso não são mais letras, mas imagens, cuja série é invertida). Portanto, estaríamos mais inclinados a remeter a inversão de som a um fator de origem mais profunda.[i]

Na concordância entre a peculiaridade do trabalho do sonho destacada no início e a prática descoberta pelo pesquisador nas línguas mais antigas, podemos ver uma confirmação da nossa concepção sobre o caráter regressivo, arcaico da expressão dos pensamentos no sonho. E a nós, psiquiatras [*Psychiatern*],[9] impõe-se como uma suposição incontestável o fato de que entenderíamos melhor a linguagem do sonho e o traduziríamos com mais facilidade se soubéssemos mais sobre o desenvolvimento da linguagem.[ii]

---

[i] Sobre o fenômeno de inversão fonética (metátese), que talvez possua ligações mais estreitas com o trabalho do sonho do que a antítese [*Gegensinn*], cf. ainda W. Meyer-Rinteln em: *Kölnische Zeitung*, de 7 de março de 1909.

[ii] Também é possível supor que o originário sentido antitético das palavras represente o mecanismo prefigurado que é utilizado desde o ato falho [*Versprechen*] até o contrário [*Gegenteile*], a serviço de múltiplas tendências.

68 OBRAS INCOMPLETAS DE S. FREUD

Über den Gegensinn der Urworte (1910)

1910 Primeira publicação: *Jahrbuch der Psychoanalytischen und Psychopa-thologische Forschung*, t. 2, n. 1, p. 178-184

1924 *Gesammelte Schriften*, t. X, p. 221-228

1943 *Gesammelte Werke*, t. VIII, p. 213-222

O título do artigo de Freud é idêntico ao do trabalho de Karl Abel publicado em 1884. Na edição original do *Jahrbuch*, há um subtítulo esclarecedor: "Resenha de um livro com o mesmo título, de Karl Abel". Embora se trate de uma resenha em sua intenção e forma, o que Freud realmente empreende é um trabalho original, sob o "pré-texto", literalmente, de Abel. Numa carta a Ferenczi, datada de 22 de outubro de 1909, Freud refere-se com entusiasmo à leitura que acabara de fazer. O trabalho de pesquisador da linguagem (*Sprachforscher*) efetuado por Abel seria uma espécie de confirmação, em um domínio do saber conexo ao da Psicanálise, da teoria dos sonhos, fornecendo o fundamento linguístico da tese de que a negação não opera no inconsciente. Uma nota sobre o tema foi introduzida na terceira edição de sua *Interpretação dos sonhos* (1911), precisamente no parágrafo em que Freud afirma que o sonho não conhece nem a oposição [*Gegensatz*] nem a contradição [*Widerspruch*].

As teses de Abel retomadas por Freud suscitaram enorme desconfiança por parte dos linguistas, como atesta, por exemplo, o célebre estudo crítico de Émile Benveniste intitulado "Remarques sur la fonction du langage dans la découverte freudienne", publicado no primeiro número da revista *La Psychanalyse*. Benveniste contesta, de maneira inapelável, os dados filológicos em que Abel baseia seu estudo. Mas isso não esgota o assunto. Um balanço sofisticado do estado da questão, que restitui o que está em jogo no debate, pode ser encontrado no texto de Jean-Claude Milner, "Sens opposés et noms indiscernables: K. Abel comme refoulé d'E.Benveniste". O leitor pode se beneficiar ainda do estudo do também linguista Michel Arrivé, "Le Sens opposé des mots primitifs... et d'autres".

Passando ao largo dos aspectos técnicos sobre a indecidibilidade própria à linguagem, pano de fundo do debate em pauta, vale ressaltar que as contribuições de Freud a esse tema situam-se em um nível que poderíamos chamar de infralinguístico. O único ponto no artigo em que Freud se distancia de Abel fornece a chave da discussão: as palavras primitivas não são apenas aquelas que o pesquisador descobre na raiz das línguas, mas também o uso assemântico que as crianças fazem quando brincam com as palavras. A tese da concordância entre processos psíquicos inconscientes e o nível infrassemântico da linguagem é uma das pedras de toque do que Jacques Lacan vai chamar de instância da letra no inconsciente e, posteriormente, de *"lalangue"*, sublinhando o que há de real na língua. Por seu turno, Jean Laplanche interpreta essa tese no contexto de sua concepção do inconsciente como formado de restos dessignificados das mensagens provenientes do outro. Entre tais restos estariam incluídas palavras que não comunicam nada, palavras tomadas como coisas.

ARRIVE, M. Le Sens opposé des mots primitifs... et d'autres. In: *Langage et psychanalyse, linguistique et inconscient.* Paris: PUF, 1994. p. 189-208) • BENVENISTE, É. Remarques sur la fonction du langage dans la découverte freudienne. In: *Problèmes de linguistique générale.* Paris: Gallimard, 1966. v. 1. p. 75-87. • LACAN, J. Autres *écrits.* Paris: Seuil, 2001 (Trad. bras. *Outros escritos.* Rio de Janeiro: Jorge Zahar, 2003) • LAPLANCHE, J. Court traité de l'inconscient. In: *Entre séduction et inspiration: l'homme.* Paris: PUF, 1993 • MILNER, J.-C. Sens opposés et noms indiscernables: K. Abel comme refoulé d'E.Benveniste. In: *Le Périple structural.* Paris: Seuil, 2002. p. 65-85.

NOTAS

[1] *Gegensinn*, aqui traduzido por "sentido antitético", também significa "antítese", como pode ser conferido neste texto, na penúltima nota de Freud. (N.T.)

[2] Noção também comumente traduzida como "pensamentos oníricos". (N.R.)

[3] De um modo mais literal: pesquisador da linguagem/língua. Cabe destacar que, àquela altura, a ciência linguística como a conhecemos não estava à disposição de Freud para seus estudos. (N.R.)

[4] Karl Abel (1837-1906) era especialista em filologia comparativa. Trabalhou em Berlim e em Oxford. Seu *Dicionário de egípcio-semítico-indo-europeu* foi publicado em 1884, com mais de 400 páginas. Além disso, traduziu algumas peças de Shakespeare para o alemão. (N.E.)

[5] A crítica de uma concepção ingênua da natureza das relações entre as palavras e as coisas, particularmente no que concerne à postulação do caráter opositivo (ou diferencial) da significação das palavras, é uma das raízes das comparações entre as pesquisas freudianas acerca da linguagem e a linguística estrutural de Ferdinand de Saussure. (N.E.)

[6] Embora possa parecer redundante, são exatamente essas as palavras empregadas por Freud: "*im Gegensatz zu ihrem Gegensatz*". (N.T.)

[7] Tradução: "A relatividade essencial de todo conhecimento, pensamento ou consciência só pode se mostrar na linguagem. Se tudo o que podemos saber é visto como uma transição de alguma outra coisa, qualquer experiência deve ter dois lados; e cada nome deve ter um sentido duplo, ou ainda, para cada significado deve haver dois nomes". (N.T.)

[8] Do latim *lucus* – "pequeno bosque", que estaria relacionado ao que "não tem luz" – *non lucendo*. (N.T.)

[9] Cabe destacar que, apesar de a palavra utilizada por Freud coincidir com a especialidade médica da atualidade, seu uso e contexto era outro, tal qual na tradução de *Sprachforscher* por "linguista" no início deste texto. (N.R.)

SOBRE TIPOS NEURÓTICOS DE ADOECIMENTO (1912)

Nas próximas páginas, serão expostas, com base em impressões obtidas empiricamente, quais alterações de condições determinam a irrupção de um adoecimento neurótico nas pessoas a ele predispostas. Trataremos, portanto, da questão dos fatores desencadeadores da doença; pouco será dito sobre suas formas. Essa organização das causas precipitantes será diferente de outras, dada a característica de que as mudanças enumeradas dizem respeito exclusivamente à libido do indivíduo. Pela Psicanálise reconhecemos que os destinos da libido são decisivos para a saúde ou para a doença nervosa. Também sobre o conceito da predisposição [*Disposition*] não vamos despender palavra alguma. Foi justamente a investigação psicanalítica que nos possibilitou demonstrar que a predisposição neurótica reside na história do desenvolvimento da libido e reconduzir os fatores que nela atuam a variedades congênitas da constituição sexual e a influências do mundo exterior vivenciadas na tenra [*frühen*][1] infância.

a) O motivo mais evidente, mais fácil de ser descoberto e mais compreensível para o adoecimento neurótico reside no fator externo que, de maneira geral, pode ser descrito como *impedimento* [*Versagung*].[2] O indivíduo estava sadio enquanto sua necessidade amorosa estava sendo satisfeita por um objeto real no mundo exterior; torna-se neurótico quando esse objeto lhe for subtraído, sem que se encontre um substituto

72 OBRAS INCOMPLETAS DE S. FREUD

para ele. Aqui, felicidade coincide com saúde, e infelicidade, com neurose. É mais fácil a cura [*Heilung*] vir pelo destino do que pelo médico, pois o destino pode oferecer um substituto para a possibilidade de satisfação que foi perdida.

Para esse tipo, ao qual pertence a maioria dos seres humanos, a possibilidade de adoecimento começa, portanto, apenas com a abstinência, o que permite avaliar o quão importantes podem ser, para o desencadeamento da neurose, as limitações culturais no acesso à satisfação. O impedimento tem efeito patogênico, pois represa a libido e, assim, submete o indivíduo a uma prova de quanto tempo pode tolerar esse aumento da tensão psíquica, e que caminhos irá tomar para se livrar dele. Só existem duas possibilidades de se permanecer sadio quando há um impedimento real duradouro da satisfação: a primeira é transformar a tensão psíquica em energia ativa que permaneça voltada para o mundo exterior e que acabe por arrancar dele uma satisfação real da libido, e a segunda, é renunciar à satisfação libidinal, sublimando a libido represada, de modo a alcançar metas que não são mais eróticas e que escapam do impedimento. O fato de essas duas possibilidades se realizarem nos destinos humanos nos prova que infelicidade não coincide com neurose e que o impedimento não decide sozinho sobre saúde ou adoecimento dos atingidos. O efeito do impedimento reside, sobretudo, em fazer valer os fatores disposicionais que até então se mostravam ineficientes.

Onde quer que esses fatores estejam presentes em formação suficientemente forte, há o risco de que a libido se torne *introvertida*.[i] Ela se desvia da realidade que, através do impedimento persistente, perdeu valor para o indivíduo, volta-se para a vida de fantasia, na qual cria novas formações de desejo, e reanima os traços de formações de desejo

---

[i] Para empregar um termo introduzido por C. G. Jung.

anteriores, esquecidas. Em consequência da íntima ligação da atividade da fantasia com o material infantil, recalcado e tornado inconsciente, presente em todo indivíduo, e graças à isenção quanto à prova de realidade que é reservada à vida de fantasia,[i] a libido pode, então, continuar retrocedendo e encontrar, pela via da *regressão*, trilhamentos [*Bahnungen*] infantis e aspirar por metas que lhe sejam condizentes. Se esses esforços [*Strebungen*], que são inconciliáveis com o atual estado de individualidade, ganharem intensidade suficiente, vai acontecer um conflito entre elas e a outra parte da personalidade, que seguiu ligada à realidade. Esse conflito é dissolvido em formações de sintoma e passa a um adoecimento manifesto. O fato de que todo esse processo tenha partido do impedimento real se reflete no resultado de que os sintomas, com os quais o terreno da realidade é novamente alcançado, irão configurar [*darstellen*] satisfações substitutivas.

b) O segundo tipo de desencadeamento da doença não é, de maneira alguma, tão evidente quanto o primeiro, e, na verdade, só foi possível descobri-lo a partir de minuciosos estudos analíticos sobre a Doutrina dos Complexos desenvolvidos na Escola de *Zurique*.[ii] Nesse caso, o indivíduo não adoece em consequência de uma alteração no mundo exterior, que colocou o impedimento no lugar da satisfação, mas em virtude de um esforço interior para encontrar na realidade a satisfação acessível. Ele adoece na tentativa de se adequar à realidade e de cumprir sua *exigência real*, o que o faz deparar-se com dificuldades internas insuperáveis.

---

[i] Cf. minhas "Formulações sobre os dois princípios do acontecer psíquico" [nesta coleção, no volume *Conceitos fundamentais da psicanálise* (N.E.)].

[ii] Cf. JUNG. A significação do pai no destino do indivíduo [Die Bedeutung des Vaters für das Schicksal des Einzelnen]. *Jahrbuch für Psychoanalyse I*, 1909.

É recomendável distinguir nitidamente os dois tipos de adoecimento, mais do que geralmente a observação permite. No primeiro tipo destaca-se uma alteração no mundo externo, no segundo, a ênfase recai sobre uma alteração interior. No primeiro tipo se adoece a partir de uma vivência, no segundo, a partir de um processo de desenvolvimento. No primeiro caso é colocada a tarefa de renunciar à satisfação, e o indivíduo adoece por sua incapacidade de resistência; no segundo caso, a tarefa consiste em trocar um modo de satisfação por outro, e a pessoa fracassa por sua rigidez. No segundo caso, está presente desde o início o conflito entre o anseio [Bestreben] do indivíduo em permanecer assim como é e em se alterar a partir de novos propósitos e novas exigências da realidade; no primeiro caso, o conflito surge apenas depois que a libido represada escolheu outras possibilidades, na verdade inconciliáveis, de satisfação. Os papéis do conflito e da fixação prévia da libido no segundo tipo são incomparavelmente mais evidentes do que no primeiro, no qual podem se produzir essas fixações inutilizáveis, eventualmente apenas em consequência do impedimento exterior.

Um jovem que, até então, vinha satisfazendo sua libido com fantasias que levavam à masturbação e agora quer trocar esse regime, próximo do autoerotismo, pela eleição real de objeto; uma moça que dedicou toda a sua ternura ao pai ou ao irmão e agora, por um homem que a corteja, deve deixar que se tornem conscientes os, até então, inconscientes desejos libidinais incestuosos; uma mulher que queria renunciar a suas inclinações polígamas e a suas fantasias de prostituição, para se tornar uma companheira fiel ao marido e uma mãe perfeita para o filho: todos eles adoecem pelos mais louváveis esforços, se as fixações anteriores de sua libido são fortes o bastante para se opor a um deslocamento, no qual novamente são decisivos os fatores da predisposição, da constituição estrutural da vivência infantil. Todos eles vivenciam, por assim dizer, o destino da arvorezinha nos contos de Grimm, que queria ter folhas diferentes; do ponto de vista higiênico[3] – que obviamente não é o único a ser levado em conta aqui –, só lhes poderia desejar que continuassem tão pouco desenvolvidos, tão inferiores e inúteis como antes de adoecer. A mudança pela qual os doentes anseiam, mas que só realizam incompletamente ou não realizam de modo algum, tem, em geral, o valor de um progresso no sentido da vida real. Mas será diferente se o medirmos por um padrão ético; vemos os seres humanos adoecerem tão frequentemente quando abandonam um ideal como quando querem alcançá-lo.

Apesar das diferenças muito claras dos dois tipos de adoecimento descritos, eles coincidem no essencial e podem, facilmente, ser reunidos em uma unidade. O adoecimento por impedimento também pode ser encarado do ponto de vista da incapacidade de adaptação à realidade, a saber, ao fato de a realidade impedir [*versagt*] a satisfação da libido. O adoecimento sob as condições do segundo tipo conduz diretamente a um caso especial de impedimento. Pois é certo que a realidade não impede todo tipo de satisfação, mas justamente aquela que o indivíduo declara como a única possível para ele, e o impedimento não parte diretamente do mundo exterior, mas primariamente de determinadas aspirações do Eu; no entanto, o impedimento segue sendo o fator comum e mais abrangente. Em consequência do conflito que se estabelece imediatamente no segundo tipo, são igualmente inibidas as duas formas de satisfação, tanto a habitual quanto aquela a que se aspira; acontece um represamento da libido com todas as suas consequências, tal como no primeiro caso. Os processos psíquicos que conduzem à formação de sintoma são muito mais evidentes no segundo tipo do que no primeiro, pois as fixações patogênicas da

76 OBRAS INCOMPLETAS DE S. FREUD

libido não precisaram se produzir, já que vigoravam nos tempos de saúde. Uma certa medida de introversão da libido já estava presente, de maneira geral; uma parte da regressão ao infantil é poupada, porque o desenvolvimento ainda não tinha percorrido todo o seu curso.

c) Como uma exacerbação do segundo tipo, aquele no qual se adoece por uma *exigência real*, temos o próximo tipo, que descreverei como adoecimento por *inibição de desenvolvimento*. Não existiria motivo teórico para distingui-lo, apenas prático, pois se trata de pessoas que adoecem, assim que deixam para trás os anos irresponsáveis da infância e que, portanto, nunca atingiram uma fase de saúde, ou seja, uma fase de capacidade quase irrestrita de realização [*Leistung*] e de fruição [*Genuss*]. O essencial do processo predisposicional nesses casos fica muito claro. A libido nunca abandonou as fixações infantis; a *exigência real* não se apresenta repentinamente ao indivíduo – total ou parcialmente maduro –, mas se dá na própria circunstância do crescer ou envelhecer, na qual obviamente varia continuamente com a idade do indivíduo. O conflito dá lugar à insuficiência, mas nós temos que, também aqui, postular um anseio a partir de todos os nossos outros conhecimentos, para superar as fixações infantis, do contrário, o resultado do processo nunca poderia ser uma neurose, mas um infantilismo estacionário.

d) Assim como o terceiro tipo nos apresentou a condição predisponente quase isolada, o quarto, que agora segue, chama-nos a atenção sobre um outro fator, cuja eficácia é considerada em todos os casos, e justamente por isso, facilmente negligenciável em nossa elucidação teórica. Vemos adoecerem indivíduos até então sadios, aos quais nenhuma vivência nova se apresentou, cuja relação com o mundo exterior não sofreu nenhuma alteração, de forma que seu adoecimento causa a impressão de ser algo espontâneo. Uma observação mais detida desses casos nos mostra, entretanto, que neles, de fato, ocorreu uma mudança, que precisamos avaliar como altamente significativa para a causação da doença. Por haverem atingido um determinado período de vida, e em conformidade com processos biológicos regulares, a *quantidade* de libido em sua vida anímica sofreu uma intensificação [*Steigerung*] que em si mesma é suficiente para perturbar o equilíbrio da saúde e estabelecer as condições para a neurose. Como sabemos, essas repentinas intensificações estão geralmente associadas à puberdade e à menopausa, quando as mulheres atingem determinada idade; além disso, em alguns seres humanos, elas se manifestam em periodicidades ainda desconhecidas. O represamento da libido é aqui o fator primário; ele se torna patogênico em consequência do impedimento *relativo* de seu mundo exterior que ainda teria permitido a satisfação a uma reivindicação menor da libido. A libido insatisfeita e represada pode abrir novamente os caminhos para a regressão e incitar os mesmos conflitos que constatamos no caso do impedimento exterior absoluto. Assim, somos advertidos a não omitir o fator quantitativo em nenhuma reflexão sobre as causas dos adoecimentos. Todos os outros fatores, o impedimento, a fixação, a inibição do desenvolvimento, permanecem ineficientes enquanto não afetam determinada quantidade de libido e provocam um represamento libidinal de determinada envergadura. É verdade que não podemos mensurar essa quantidade de libido que nos parece indispensável para um efeito patogênico; só podemos postulá-la depois do advento da doença. Somente numa direção podemos determiná-la mais precisamente; podemos supor que não se trata de uma questão de quantidade absoluta, mas da proporção entre o montante eficiente de libido e a quantidade de libido que o Eu individual pode dominar, isto é, manter em tensão, sublimar ou utilizar diretamente. É por isso que um aumento relativo da quantidade de libido pode

78 OBRAS INCOMPLETAS DE S. FREUD

ter os mesmos efeitos que um absoluto. Um enfraquecimento do Eu por doença orgânica ou por alguma exigência especial à sua energia será capaz de trazer à luz neuroses que, de outro modo, apesar de toda a predisposição, teriam ficado latentes. A importância que devemos atribuir à quantidade de libido na causação da doença se harmoniza de maneira satisfatória com duas teses principais da doutrina das neuroses resultantes da Psicanálise. Primeiro, com a afirmação de que as neuroses surgem do conflito entre o Eu e a libido, e segundo, com a descoberta de que não existe nenhuma distinção qualitativa entre as condições da saúde e as da neurose, e que as pessoas sadias precisam se haver com as mesmas tarefas para dominar a libido, só que elas se saem melhor.

Resta ainda dizer algumas palavras sobre a relação entre esses tipos e a experiência. Se tenho uma visão do conjunto dos doentes, de cuja análise me ocupo neste momento, preciso constatar que nenhum deles encarna puramente um dos quatro tipos de adoecimento. Encontro muito mais, atuando [*wirksam*] em cada um deles, um fragmento do impedimento ao lado de uma parte de incapacidade de se adequar à exigência real; o ponto de vista da inibição de desenvolvimento que coincide com a rigidez das fixações é considerado em todos os casos, e, como foi mencionado acima, nunca podemos desprezar a importância da quantidade de libido. Descubro, na verdade, que em muitos desses doentes a doença apareceu em ondas sucessivas, entre as quais houve intervalos de saúde, e que cada uma dessas ondas se deixou remontar a um tipo diferente de causa precipitadora. Portanto, a apresentação desses quatro tipos não possui nenhum valor teórico; trata-se apenas de diversos caminhos para o estabelecimento de uma determinada constelação patogênica na economia anímica, a saber, o represamento da libido, do qual o Eu não pode se defender com seus recursos sem sofrer danos. Mas a situação mesma só se torna patogênica em consequência de um fator quantitativo; ela não chega a ser uma novidade para a vida anímica nem é criada pela intrusão de uma assim chamada "causa da doença".

Gostaríamos de atribuir alguma importância prática aos tipos de adoecimento. Em alguns casos, eles podem também ser encontrados em forma pura; não teríamos dado atenção ao terceiro e ao quarto tipos se eles não tivessem conservado as únicas causas do adoecimento para alguns indivíduos. O primeiro tipo coloca diante de nossos olhos a influência extraordinariamente poderosa do mundo exterior; o segundo, a influência não menos importante da singularidade do indivíduo, que contraria essa influência. A Patologia não pôde fazer justiça ao problema da causa imediata da doença [*Krankheitsveranlassung*] nas neuroses enquanto esteve preocupada apenas em decidir se essas afecções eram de natureza *endógena* ou *exógena*. A todas as experiências que apontavam para a importância da abstinência (no sentido mais amplo) como causa imediata, ela sempre tinha de colocar a objeção de que outras pessoas suportavam esse mesmo destino sem adoecer. Mas, se ela queria acentuar a singularidade do indivíduo como sendo o essencial para a doença e para a saúde, então precisaria aceitar a reprimenda de que pessoas com uma singularidade como essa poderiam ficar indefinidamente saudáveis, apenas enquanto lhes fosse permitido conservar essa singularidade. A Psicanálise nos advertiu a abandonarmos a infecunda oposição entre fatores externos e internos, entre destino e constituição, e nos ensinou a encontrar a causação do adoecimento neurótico regularmente em uma determinada situação psíquica que pode se produzir por diversos caminhos.

80 OBRAS INCOMPLETAS DE S. FREUD

Über neurotische Erkrankungstypen (1912)

1912 Primeira publicação: *Zeltralblatt für Psychoanalyse*, t. II, n. 6, p. 297-302

1924 *Gesammelte Schriften*, t. V, p. 400-408

1943 *Gesammelte Werke*, t. VIII, p. 322-330

Publicado em março de 1912, ano em que veio a lume a maior parte de seus casos clínicos, este artigo apresenta uma tipologia dos modos de adoecimento neurótico, isto é, das diferentes maneiras como um sujeito se torna neurótico. Nesse sentido, faz parte do que podemos chamar de teoria geral da neurose. O tema da "escolha da neurose" foi abordado diversas vezes por Freud. No contexto da correspondência com Fließ, é uma questão recorrente, embora a ênfase na realidade do trauma tendesse a obscurecê-la.

Salta aos olhos a fineza com que Freud faz trabalhar a dialética entre "tipo" e "singularidade". Além disso, quanto à espinhosa questão da causação da neurose, o artigo nos convida a abandonarmos a "infecunda oposição entre fatores externos e internos, entre destino e constituição", o que basta para mostrar como Freud estava à frente não apenas de seu tempo, mas talvez até mesmo do nosso.

Do ponto de vista conceitual, destacam-se o papel da *Fixierung* (fixação) e da *Versagung* (impedimento) na causação da neurose. Muitas vezes incorretamente traduzida por "frustração", a noção foi de tal modo incorporada no senso comum psicologicista que se tornou banal. A tradução por "impedimento" permitirá restituir seu valor epistemológico e clínico. A pista sobre o papel da fixação da libido foi aberta um ano antes, no início da terceira parte do célebre estudo sobre a paranoia do presidente Schreber.

HANNS, L. Tradução frustrada. *CULT*, n. 181, p. 30-33, jul. 2013.

NOTAS

[1] Apesar de *früh* significar "cedo" em alemão, o termo costuma ser empregado como adjetivo por Freud no sentido de "precoce", não como o que antecede o período esperado (ex. talento precoce), mas como o que se dá nos "tempos primeiros" da vida. (N.R.)

[2] *Versagung* costuma ser traduzido por "frustração", mas não parece ser esse o seu significado no presente contexto nem na maioria dos casos em que Freud faz uso do vocábulo. Cabe aqui o crédito ao tradutor e psicanalista brasileiro Luiz Alberto Hanns, grande responsável por evidenciar essa questão em artigos científicos e em seu *Dicionário comentado do alemão de Freud* (Imago, 1996). (N.R.)

[3] *Higiênico* aqui não se refere à acepção usual em língua portuguesa, relativa a assepsia e limpeza, mas sim ao que diz respeito à *saúde* (do grego, Ὑγήια) num sentido amplo. (N.R.)

COMUNICAÇÃO DE UM CASO DE PARANOIA QUE CONTRADIZ A TEORIA PSICANALÍTICA (1915)

Há alguns anos um conhecido advogado solicitou-me um parecer sobre um caso, cuja versão lhe parecia duvidosa. Uma jovem dirigiu-se a ele para pedir proteção contra as perseguições de um homem que a induziu a uma ligação amorosa. Ela afirmava que esse homem havia abusado de sua amabilidade, fazendo com que espectadores desconhecidos tirassem fotografias de seus ternos encontros; agora estava em suas mãos envergonhá-la com a revelação dessas fotos e obrigá-la a deixar seu emprego. O amigo advogado era experiente o bastante para reconhecer o tom doentio dessa acusação, mas achava que, já que ocorrem tantas coisas nessa vida que consideramos inacreditáveis, a opinião de um psiquiatra sobre o caso seria de grande valia. Prometeu visitar-me uma próxima vez em companhia da acusadora [*Klägerin*].[1]

Antes de continuar este relato, quero confessar que alterei as circunstâncias ambientais do caso investigado visando ao anonimato, mas nada mais do que isso. Normalmente considero abusivo [*Missbrauch*], mesmo que seja pelos melhores motivos, alterar traços de um historial clínico [*Krankengeschichte*][2] em uma comunicação, pois é impossível saber qual lado do caso será destacado por um leitor de julgamento independente, e assim corre-se o risco de conduzir este último ao erro.

A paciente, que acabei conhecendo logo depois, era uma moça de 30 anos, de rara graça e beleza; ela parecia muito mais jovem do que era e passava uma impressão legitimamente feminina. Em relação ao médico, ela portou-se de maneira inteiramente negativa e não se deu ao trabalho de esconder sua desconfiança. Estava claro que só sob a pressão do amigo advogado presente ela contou a história que se segue, o que me colocou um problema que será mencionado mais tarde. Na ocasião, nem suas expressões faciais nem as manifestações de afeto traíram alguma timidez envergonhada, como seria de se esperar de uma atitude dirigida a um ouvinte estranho. Ela estava inteiramente sob o domínio da preocupação provocada por sua experiência.

Por muitos anos ela esteve empregada em um instituto, em que ocupava um cargo de responsabilidade, para a sua satisfação e a de seus superiores. Nunca procurou ligações com homens; vivia tranquila com sua mãe idosa, de quem era o único apoio. Não tinha irmãos e o pai já havia morrido há muitos anos. Nos últimos anos aproximou-se dela um funcionário do mesmo escritório, um homem muito culto e atraente, a quem ela não quis negar [*versagen*] sua simpatia. Um casamento entre eles estava excluído por motivos externos, mas o homem não queria saber de abandonar essa relação por causa dessa impossibilidade. Ele a repreendia, dizendo o quanto não fazia sentido renunciar a tudo o que tinham desejado por causa de convenções sociais, a tudo a que tinham o direito indubitável, o que contribuía, como nenhuma outra coisa, para a intensificação da vida. Como ele lhe prometeu não colocá-la em perigo, ela finalmente concordou em visitá-lo, durante o dia, em seu apartamento de solteiro. Lá, beijavam-se e se abraçavam, ficavam deitados um ao lado do outro, e ele admirava sua beleza em parte revelada. No meio dessa cena de amor [*Schäferstunde*], ela se assustou com um barulho repentino, uma espécie de pancada ou clique. Ele veio de perto da escrivaninha, que ficava atravessada diante da janela; o espaço entre a mesa e a janela estava em parte coberto por uma cortina pesada. Ela contou que perguntou imediatamente ao namorado o que era aquele barulho, e recebeu dele a informação de que se tratava provavelmente do pequeno relógio em cima da escrivaninha; mas vou tomar a liberdade de, mais tarde, fazer uma observação sobre essa parte do seu relato.

Quando ela deixou a casa, ainda na escada, passou por dois homens que, ao vê-la, murmuraram alguma coisa entre si. Um dos dois desconhecidos carregava um objeto embrulhado que parecia uma caixa. Esse encontro ocupou seus pensamentos; ainda no caminho de casa ela engendrou a seguinte concatenação de ideias [*Kombination*]: essa caixinha podia facilmente ser um aparelho fotográfico; o homem que a carregava era um fotógrafo que, durante sua presença no quarto, tinha ficado escondido atrás da cortina, e o clique que ela ouviu era o barulho do aperto do botão, que ocorreu assim que o homem conseguiu a situação particularmente comprometedora que ele queria registrar na foto. A partir daí, não se conseguiu mais calar a sua suspeita contra o amado; ela o inquiriu com palavras e por escrito – exigindo obter explicações e ser tranquilizada –, e com censuras; mostrou-se inacessível às garantias que ele lhe dava, quando ele sustentava a sinceridade de seus próprios sentimentos e a falta de fundamento das suspeitas que ela levantava. Por fim, ela foi ao advogado, contou-lhe a experiência e entregou-lhe as cartas que ela tinha recebido do suspeito nessa ocasião. Mais tarde, pude dar uma olhada em algumas dessas cartas; elas me passaram a melhor impressão; seu conteúdo principal era o pesar pelo fato de que uma relação tão bonita e tão terna tivesse sido destruída por essa "infeliz ideia doentia" [*unglückselige krankhafte Idee*]. Não é preciso nenhuma justificativa por eu ter feito o mesmo julgamento do acusado. Entretanto, esse caso teve para mim outro interesse além do meramente diagnóstico. Foi afirmado na literatura psicanalítica que o paranoico luta contra uma intensificação de suas tendências homossexuais, o que, no fundo, remete a uma escolha narcísica de objeto. Além disso, foi assinalado que o perseguidor seria, no fundo, o amado ou alguém amado no passado. Da junção dessas duas proposições resulta a exigência de que o perseguidor teria de ser do mesmo sexo que o perseguido. É verdade que não apresentamos como de validade geral e sem exceções a tese de que a paranoia é condicionada pela homossexualidade – mas só não o fizemos porque nossas observações não eram suficientemente numerosas. É que essa tese pertencia àquelas que, em consequência de determinadas circunstâncias, só são importantes se puderem reivindicar universalidade. Sabemos que na literatura psiquiátrica não faltam casos em que o doente se acreditava perseguido por uma pessoa do outro sexo, mas a impressão é diferente se lemos sobre esses casos ou se temos um deles diante dos olhos. O que meus amigos e eu pudemos observar e analisar tinha confirmado até então, e sem dificuldade, a ligação da paranoia com a homossexualidade. O caso apresentado aqui depunha decididamente contra isso. A moça parecia se defender do amor por um homem ao transformar diretamente o amado no perseguidor; nada foi encontrado sobre a influência de uma mulher ou sobre uma luta contra um vínculo homossexual.

Nessas circunstâncias, o mais fácil seria abandonar novamente a declaração em favor [*Parteinahme*] da validade universal de o delírio de perseguição depender da homossexualidade e de tudo o que se ligasse a ela. Era preciso desistir desse reconhecimento, a não ser que nos deixásse-mos guiar por esse desvio da expectativa e agíssemos como advogado,[3] admitindo, como tal, tratar-se de uma vivência corretamente interpretada, em vez de uma concatenação paranoica. No entanto, vislumbrei outra saída, que tornou possível adiar a decisão. Lembrei-me de quantas vezes se chega a uma situação em que avaliamos mal os doentes psíquicos, porque não nos ocupamos deles com atenção suficiente, e, dessa forma, sabemos muito pouco sobre eles. Expliquei, então, que naquele dia me seria impossível emitir um juízo, e pedi a ela que me fizesse uma segunda visita, para me contar essa história com mais detalhes, e talvez, dessa vez, com outros fatos a ela ligados, que na ocasião ficaram despercebidos. Através da mediação do advogado, consegui o consentimento da paciente, que continuava relutante. Ele também me auxiliou, explicando que nessa segunda conversa sua presença seria desnecessária.

O segundo relato da paciente não invalidou o pri-meiro, mas trouxe complementações tais que dissiparam todas as dúvidas e dificuldades. Para começar, ela não tinha visitado o jovem em seu apartamento uma vez, mas duas. No segundo encontro ocorreu a perturbação com o ruído, ao qual ela ligou sua suspeita; ela calou ou deixou de men-cionar a primeira visita em seu primeiro relato, porque essa não mais lhe parecia importante. Nessa primeira visita não havia acontecido nada que chamasse a atenção, mas no dia seguinte aconteceu. A seção da grande empresa em que ela trabalhava era gerenciada por uma senhora idosa, que ela descreveu com estas palavras: "Ela tem cabelos brancos como minha mãe". Ela estava acostumada a ser tratada com muito carinho por essa chefe idosa, até mesmo a ser mimada por ela, e se considerava sua predileta. No dia seguinte à sua primeira visita à casa do jovem funcionário, este apareceu nas dependências do escritório para comunicar à velha dama algo relacionado ao trabalho, e enquanto ele conversava com esta em voz baixa, nasceu na jovem, repentinamente, a certeza de que ele estava contando à senhora sobre a aventura da véspera; pois é, ele mantinha uma relação com a senhora há muito tempo, só que ela mesma até agora não tinha percebido nada. A maternal senhora de cabelos brancos agora sabia de tudo. Com o passar do dia, ela pôde confirmar essa sua suspeita pela conduta e pela forma de se expressar da velha senhora. Ela aproveitou a primeira oportunidade para demandar explicações do amado por sua traição. É claro que ele protestou energicamente contra o que chamou de insinuação absurda e, de fato, dessa vez, conseguiu desviá-la de seu delírio, de maneira que algum tempo depois – creio que algumas semanas – ela estava suficientemente confiante para repetir a visita ao seu apartamento. O restante já sabemos pelo primeiro relato da paciente.

O que aprendemos agora põe fim, em primeiro lugar, à dúvida sobre a natureza doentia da suspeita. Facilmente reconhecemos que a chefe de cabelos brancos é um substituto da mãe, que o homem amado, apesar de ser tão jovem, é colocado no lugar do pai, e que o poder do complexo materno é o que obriga a doente a supor uma relação amorosa entre os dois parceiros tão díspares [ungleich], por mais improvável que ela seja. Mas, com isso, evapora-se também a aparente contradição com a expectativa alimentada pela doutrina psicanalítica de que uma ligação homossexual superintensa se apresentaria como a condição para o desenvolvimento de um delírio de perseguição. O perseguidor original, a instância de cuja influência se quer escapar, também nesse caso não é o homem, mas a mulher. A chefe sabe sobre as ligações amorosas da moça, desaprova-as e lhe apresenta esse julgamento através de insinuações misteriosas. A ligação com o mesmo sexo se contrapõe aos esforços de conseguir um membro do outro sexo como objeto de amor. O amor pela mãe se torna o porta-voz de todas as aspirações que, cumprindo o papel de uma "consciência moral" ["*Gewissens*"], procuram conter a moça em seu primeiro passo para o caminho novo e, em muitos sentidos, perigoso da satisfação sexual normal, e também consegue perturbar a relação com o homem.

Quando a mãe inibe ou detém a atividade sexual da filha, ela está cumprindo uma função normal, que está preestabelecida pelas ligações da infância, que possui poderosas motivações inconscientes e que encontrou a sanção da sociedade. O papel da filha é desvencilhar-se dessa influência e decidir-se, com base em uma motivação mais ampla e mais racional, por uma medida de permissão ou de impedimento do gozo sexual [*Sexualgenusses*]. Se, nessa tentativa de libertação, ela é vítima de uma neurose, isso implica a presença de um complexo materno em geral superintenso, mas certamente não dominado, cujo conflito com a nova corrente libidinal, dependendo da disposição utilizada, é resolvido na forma desta ou daquela neurose. Em todos os casos, as manifestações da reação neurótica não são determinadas pela ligação com a mãe atual, mas pelas ligações infantis com a imagem primordial [*urzeitlichen*] da mãe.

De nossa paciente sabemos que era órfã de pai havia muitos anos, e podemos supor que ela não teria se mantido longe de homens até a idade de 30 anos, se uma forte ligação afetiva com a mãe não lhe tivesse oferecido um apoio. Esse apoio se torna um fardo pesado para ela, a partir de quando sua libido começa a ansiar pelo homem, motivada por seu insistente galanteio. Ela procura livrar-se desse apoio, libertar-se de sua ligação homossexual. Sua predisposição – sobre a qual não precisamos comentar – permite que isso ocorra como uma formação paranoica delirante. A mãe se torna, portanto, observadora e perseguidora hostil e invejosa. Como tal, ela poderia ser vencida, se o complexo materno não tivesse conservado o poder de mantê-la afastada dos homens. No final dessa primeira fase do conflito, ela se afastou, portanto, da mãe, sem se juntar ao homem. Pois ambos estavam conspirando contra ela. Foi o empenho vigoroso do homem que, decididamente, conseguiu atraí-la para si. Ela supera a objeção da mãe e está preparada para conceder um novo encontro ao amado. A mãe não aparece mais nos próximos acontecimentos; no entanto, podemos insistir que nessa fase o amado não se tornou o perseguidor de maneira direta, mas no caminho que passa pela mãe e por ele estar sendo relacionado à mãe, que recebeu o papel principal na primeira formação delirante.

Devíamos então acreditar que a resistência tinha sido definitivamente superada e que a moça, até agora ligada à mãe, tinha conseguido amar um homem. Porém, após o segundo encontro segue-se uma nova formação delirante que, através de engenhosa utilização de algumas casualidades, consegue arruinar esse amor e, com isso, levar adiante, com êxito, o propósito do complexo maternal. Ainda nos parece estranho que a mulher consiga defender-se do amor pelo homem com a ajuda de um delírio paranoico. Antes, porém, de esclarecermos essa relação, queremos averiguar essas casualidades, nas quais se apoia a segunda formação delirante, que foi direcionada exclusivamente ao homem.

Deitada semidespida ao lado do amado no sofá [*Diwan*],[4] ela ouve um ruído como um clique, uma batida, um estalido, cuja causa ela não conhece, mas que interpreta mais tarde, assim que encontra dois homens na escada da casa, dos quais um carregava algo como uma caixinha escondida. Ela ganha a convicção de que, por instrução do amado, ela teria sido observada e fotografada durante seu encontro íntimo. É claro que estamos longe de pensar que se não tivesse ocorrido esse ruído infeliz, a formação delirante também não se teria realizado. Reconhecemos muito mais por detrás dessa coincidência, algo necessário, que precisava se impor de maneira tão compulsiva quanto à suposição de uma relação amorosa entre o homem amado e a velha senhora, escolhida como substituto da mãe. A observação da relação amorosa dos pais é uma peça que raramente falta no repertório das fantasias inconscientes que se pode descobrir através da análise de todos os neuróticos, provavelmente de todas as crianças. Chamo essas formações de fantasia [*Phantasiebildungen*], a da observação da relação sexual dos pais, a da sedução, a da castração e outras, de *fantasias primordiais* [*Urphantasien*], e em outro lugar irei examinar, em profundidade, sua origem e sua relação com a experiência individual. Portanto, o ruído acidental só desempenha o papel de uma provocação que ativa a fantasia típica de escutar secretamente, contida no complexo parental. É, portanto, questionável se devemos caracterizá-lo como "acidental" [*zufällig*]. Tal como Otto Rank me fez notar, trata-se muito mais de um requisito necessário da fantasia de escutar secretamente que ou repete o ruído, através do qual se denuncia a relação dos pais, ou aquele pelo qual a criança que escuta escondido teme ser traída. Agora, então, sabemos de um só golpe em que terreno estamos pisando. O amado continua sendo o pai, e ela mesma entra no lugar da mãe. Então, o escutar secretamente precisa ser atribuído a outra pessoa. Fica evidente a maneira como ela se libertou da dependência homossexual da mãe. Foi por meio de uma pequena regressão; em vez de tomar a mãe como objeto de amor, identificou-se com ela, ela mesma se tornou a mãe. A possibilidade dessa regressão remete à origem narcísica de sua escolha homossexual de objeto e, com isso, à sua predisposição ao adoecimento paranoico. Poderíamos esboçar um encadeamento de pensamento que leva ao mesmo resultado que essa identificação: "Se minha mãe faz isso, eu também posso; eu tenho o mesmo direito". Podemos dar um passo a mais na suspensão [*Aufhebung*] das casualidades, sem exigir que o leitor nos acompanhe, pois a falta de uma investigação analítica mais profunda torna, em nosso caso, impossível passar de um certo grau de probabilidade. Em nossa primeira entrevista, a doente mencionou que perguntou imediatamente sobre a origem do ruído e que lhe foi dito que provavelmente era o clique do pequeno relógio de mesa sobre a escrivaninha. Tomo a liberdade de decifrar esse relato como sendo uma confusão de lembranças [*Erinnerungstäuschung*].[5] Para mim, é muito mais plausível que ela, a princípio, tenha deixado de ter qualquer reação ao ruído e que este só lhe tenha se tornado significativo depois do encontro com os dois homens na escada. Quanto à tentativa de explicação do clique do relógio, o homem, que talvez nem tenha ouvido o ruído, pode ter se arriscado mais tarde, quando solicitado pela suspeita da moça: "Não sei o que você pode ter ouvido; talvez o relógio de mesa tenha feito o ruído, como de costume". Essa posterioridade [*Nachträglichkeit*][6] na recuperação de impressões e um deslocamento como esse da lembrança são justamente frequentes na paranoia e a caracterizam. Tendo em vista que eu nunca falei com o homem e não pude continuar a análise da moça, minha suposição não pôde ser comprovada.

Eu poderia me arriscar a continuar eliminando essa "casualidade" aparentemente real. Não acredito absolutamente que o relógio de mesa tenha emitido algum clique ou que havia um ruído para se ouvir. A situação na qual ela se encontrava podia justificar uma sensação de batimento ou palpitação no clitóris. Foi isso, então, que posteriormente ela projetou para fora como percepção de um objeto externo. Algo bastante parecido é possível no sonho. Uma de minhas pacientes histéricas relatou uma vez um sonho curto que a despertou, ao qual nenhuma ocorrência havia sido associada. O sonho era: "Estão batendo", e ela acordou. Ninguém tinha batido à porta, mas nas noites anteriores ela havia sido despertada por sensações desagradáveis de polução e, portanto, agora tinha interesse em acordar, tão logo se iniciassem os primeiros sinais da excitação genital. Tinham batido [*geklopft*][7] no clitóris. Eu vou colocar o mesmo processo de projeção de nossa paranoica no lugar do ruído acidental. É claro que não posso garantir que a doente, em um rápido contato e com todos os sinais de um manifesto desagrado pela premência [*Zwanges*] da situação, tenha me dado um relatório sincero sobre os acontecimentos em ambos os encontros amorosos, mas a contração isolada do clitóris combinava com a sua afirmação de que na ocasião não tinha acontecido uma união dos genitais. Na subsequente recusa do homem, a insatisfação também teve certamente a sua parte, ao lado da "consciência moral".

Vamos voltar agora ao fato excepcional de que a doente se defendia do amor pelo homem com a ajuda de uma formação delirante paranoica. A história do desenvolvimento desse delírio nos dá a chave para a sua compreensão. Como podíamos esperar, este estava voltado originalmente contra a mulher, mas agora, *no terreno da paranoia, realizava-se o avanço da mulher para o homem como objeto*. Um avanço desse tipo não é comum na paranoia; em geral verificamos que o perseguido permanece fixado nas mesmas pessoas, portanto também no mesmo sexo, no qual recaiu sua escolha amorosa antes da transformação paranoica. Mas o avanço não é excluído pela afecção neurótica; nossa observação poderia ser exemplar para muitas outras. Além da paranoia, há muitos processos semelhantes – entre os quais, alguns muito conhecidos – que até agora não foram reunidos sob esse ponto de vista. Por exemplo, o assim chamado neurastênico, por sua ligação inconsciente com objetos de amor incestuosos, é impedido de tomar uma mulher desconhecida como objeto e está limitado à fantasia em sua atividade sexual. Mas, no terreno da fantasia, ele realiza esse avanço que lhe foi recusado e pode substituir mãe e irmã por outros objetos. Tendo em vista que para esses objetos falta o veto da censura, a escolha dessas pessoas substitutas em suas fantasias se torna consciente.

Os fenômenos do avanço, tentado a partir do novo terreno, geralmente conquistado por via regressiva, instalam-se ao lado de esforços que são empreendidos em algumas neuroses para recuperar uma posição da libido que já se possuiu, mas foi perdida. Teoricamente, as duas séries de manifestações não podem ser separadas uma da outra. Estamos demasiadamente inclinados a pensar que o conflito que está na base da neurose se encerraria com a formação de sintoma. Mas, na verdade, a luta continua de muitas maneiras, mesmo depois da formação do sintoma. De ambos os lados surgem novos componentes pulsionais que a prolongam. O próprio sintoma se torna objeto dessa luta; inclinações que querem afirmá-la se medem com outras que estão empenhadas em suspendê-la [*Aufhebung*] e restabelecer o estado anterior. Com frequência se procuram caminhos para desvalorizar o sintoma, tentando reconquistar o que foi perdido e o que foi impedido pelo sintoma a partir de outras saídas. Essas relações lançam uma luz esclarecedora sobre uma declaração de C. G. Jung, segundo a qual uma inércia psíquica peculiar que se opõe à mudança e ao avanço é a condição fundamental da neurose. Essa inércia é, de fato, muito peculiar; não é geral, mas altamente especializada; ela também não domina sozinha seu próprio campo, mas luta com tendências ao avanço e à recuperação, que não aquiescem, mesmo depois da formação de sintoma da neurose. Se rastrearmos o ponto de partida dessa inércia especial, ela se revela como a expressão de enodamentos [*Verknüpfungen*] de pulsões – estabelecidos muito cedo [*frühzeitig*] e difíceis de desatar –, com impressões e com os objetos nelas existentes, através de cujos enodamentos se deteve a continuidade do desenvolvimento desses componentes pulsionais. Ou, para dizer de outro modo, essa "inércia psíquica" especializada é apenas uma expressão diversa, mas dificilmente a melhor para aquilo que na Psicanálise estamos habituados a chamar de *fixação*.

96 OBRAS INCOMPLETAS DE S. FREUD

Mitteilung eines der psychoanalytischen Theorie widersprechenden Falles von Paranoia (1915)

1915 Primeira publicação: *Internationale Zeitschrift für Psychoanalyse*, t. 3, n. 6, p. 321-329

1946 *Gesammelte Werke*, t. X, 1946, p. 233-246

Em 1911, Freud havia publicado suas "Considerações psicanalíticas sobre um caso de paranoia relatado de forma autobiográfica *[Dementia paranoides]*", conhecido como Caso Schreber, em que articula a paranoia e uma determinada forma de fracasso do recalcamento de fantasias homossexuais. Numa carta a Jung, de 17 de fevereiro de 1908, Freud confessa que sua suspeita acerca das relações entre paranoia e homossexualidade remontava ao contexto de sua ruptura com Fließ.

O presente artigo trata de um caso clínico que, pelo menos aparentemente, contradiz a teoria psicanalítica da paranoia. Trata-se, portanto, de um esforço em testar o alcance da teoria não a partir de casos que a confirmem, mas justamente de casos que a refutem (ao contrário do que a crítica popperiana da Psicanálise faz crer). Embora a conclusão do texto acabe por desfazer a contradição, durante boa parte de sua argumentação ele mantém em aberto a contradição e a faz trabalhar. O relato do fragmento de caso é notável em sua construção narrativa. Esse esforço resulta, entre outras coisas, na formulação, pela primeira vez, do conceito de fantasias originárias *[Urphantasien]*.

O texto foi escrito em 1915, durante a guerra. Não custa lembrar que Freud estava perto de completar 60 anos quando a guerra havia sido deflagrada, um ano antes. Embora não tenha sido atacada, Viena sofreu toda sorte de escassez. Durante aquele período, apesar da parca atividade clínica e editorial, Freud escreveu abundantemente. Seu principal projeto era a escrita do conjunto de 12 artigos que comporiam a *Metapsicologia*, dos quais dispomos de apenas cinco efetivamente publicados.

O tema do delírio de ciúme feminino foi retomado, a convite do próprio Freud, por Ruth Mack Brunswick, em seu "Die Analyse eines Eifersuchtwahnes" (Análise de um delírio de ciúme).

MACK BRUNSWICK, R. Die Analyse eines Eifersuchtwahnes. *Internationale Zeitschrift für Psychoanalyse*, n. 14, 1928.

NOTAS

[1] Vemos em "Luto e melancolia" a íntima relação entre o "queixar-se" e "prestar queixas" a partir da construção *Ihre Klagen sind Anklagen*. No linguajar jurídico, *Klägerin* (queixosa) é a denunciante-acusadora, sendo *Angeklagte* (queixado) o réu-acusado. (N.R.)

[2] Termo que designa o que chamamos habitualmente de "caso clínico". Vale observar que a expressão empregada por Freud ressalta o caráter temporal do tratamento analítico. (N.R.)

[3] Não parece ser aqui uma referência direta ao advogado que procurou Freud no presente caso, mas ao papel habitual do advogado, que acredita e defende a versão de seu cliente para um fato. A posição do analista é diversa. (N.R.)

[4] Apesar da tentação de assimilar esse móvel àquele em que os pacientes de Freud se deitavam, vale ressaltar que o segundo foi designado preferencialmente pela palavra *Liegebett*. Ver, por exemplo, os "Artigos sobre técnica". (N.R.)

[5] Num registro mais técnico, o termo pode referir também a "paramnésia". No léxico psiquiátrico, alguns autores equivalem ainda à vivência do *déjà vu*. (N.E.)

[6] Termo de difícil tradução. Jacques Lacan conferiu especial importância ao termo, por ele traduzido como *après-coup*, que seria uma característica fundamental da temporalidade inconsciente. (N.E.)

[7] Cabe destacar que o verbo *klopfen* em alemão designa o bater à porta [*Es klopft*], mas também o palpitar da pulsação. (N.R.)

LUTO E MELANCOLIA (1917)

Depois de o sonho ter nos servido como protótipo normal [*Normalvorbild*] das perturbações anímicas narcísicas, queremos fazer a tentativa de esclarecer a natureza da melancolia comparando-a com o afeto normal do luto. Mas desta vez precisamos começar fazendo uma confissão que deve servir como advertência para que os resultados não sejam superestimados. A melancolia, cuja definição conceitual oscila, mesmo na Psiquiatria descritiva, apresenta-se sob várias formas clínicas, cuja síntese em uma unidade não parece assegurada, e das quais algumas lembram mais afecções somáticas do que psicogênicas. Nosso material se limita – independentemente das impressões que estejam disponíveis a qualquer observador – a um pequeno número de casos, cuja natureza psicogênica era indubitável. Portanto, vamos de antemão deixar de lado a pretensão de validade universal para os nossos resultados e nos consolar com a ponderação de que, com os nossos atuais meios de pesquisa, dificilmente podemos descobrir algo que não seja *típico*, se não para toda uma classe de afecções, pelo menos para um grupo menor delas.

Considerar melancolia e luto[1] conjuntamente parece se justificar pelo quadro geral dos dois estados.[i] Também

---

[i] Abraham, a quem devemos o mais importante dos poucos estudos analíticos sobre o tema, também partiu dessa comparação (*Zentralblatt für Psychoanalyse*, II, 6, 1912).

coincidem as influências vitais que as ocasionam, sempre que estão visíveis. O luto, via de regra, é a reação à perda de uma pessoa querida ou de uma abstração que esteja no lugar dela, como a pátria, a liberdade, um ideal, etc. Em certas pessoas, sob as mesmas influências, observamos no lugar do luto uma melancolia, e por isso as colocamos sob a suspeita de uma predisposição patológica. Também é notável que nunca nos ocorre considerar o luto como um estado patológico e encaminhá-lo ao tratamento médico, embora ele traga consigo sérios desvios quanto à conduta normal na vida. Confiamos que ele terá sido superado depois de certo tempo e consideramos sem propósito e mesmo prejudicial perturbá-lo.

A melancolia se caracteriza psiquicamente por um desânimo profundamente doloroso, por uma suspensão do interesse pelo mundo externo, pela perda da capacidade de amar, pela inibição da capacidade para realização [*Leistung*] e pelo rebaixamento da autoestima [*Selbstgefühl*],[2] que se expressa em autorrecriminações e autoinsultos, até atingir a expectativa delirante de punição. Para que tal configuração se aproxime melhor do nosso entendimento, precisamos considerar que o luto apresenta esses mesmos traços, menos um: falta nele a perturbação do sentimento de autoestima. No resto, ele é o mesmo. O luto profundo, a reação à perda de uma pessoa querida, contém o mesmo estado de ânimo doloroso, a perda do interesse pelo mundo externo – na medida em que este não lembre o morto, a perda da capacidade de escolher qualquer novo objeto de amor – em substituição ao pranteado, o afastamento de qualquer atividade que não esteja ligada com a memória do morto. É fácil entender que essa inibição e limitação do Eu seja a expressão da dedicação exclusiva ao luto, do qual nada resta para outros propósitos e interesses. Na verdade, essa conduta só não nos parece patológica porque sabemos explicá-la muito bem.

Também estamos de acordo com a comparação que caracteriza o estado de ânimo do luto como "doloroso". A justificativa dessa comparação nos será compreensível quando estivermos em condições de caracterizar a dor do ponto de vista econômico.

Em que consiste, então, o trabalho realizado pelo luto? Creio que não será nada exagerado descrevê-lo da seguinte maneira: a prova de realidade mostrou que o objeto amado já não existe mais e decreta a exigência de que toda a libido seja retirada de suas ligações com esse objeto. Contra isso se levanta uma notável oposição: em geral se observa que o homem não abandona de bom grado uma posição libidinal [*Libidoposition*], nem mesmo quando um substituto já se lhe acena. Essa oposição pode ser tão intensa que dá lugar a um afastamento da realidade e a uma adesão [*Festhalten*] ao objeto através de uma psicose alucinatória de desejo (ver o artigo anterior a este).[3] O normal é que vença o respeito à realidade. Entretanto, a tarefa que a realidade solicita não pode ser atendida imediatamente. Ela é cumprida pouco a pouco, com grande dispêndio de tempo e de energia de investimento [*Besetzungsenergie*], ao mesmo tempo que a existência do objeto é psiquicamente prolongada. Cada uma das lembranças e expectativas pelas quais a libido estava conectada ao objeto é enfocada, superinvestida [*überbesetzt*], e nelas ocorre a dissolução da libido. Não se pode indicar com facilidade, em uma fundamentação econômica, por que essa operação de compromisso [*Kompromissleistung*] — em que a tarefa solicitada pela realidade é executada passo a passo — é tão extraordinariamente dolorosa. O curioso é que esse desprazer doloroso nos parece natural. Mas de fato, o Eu se torna novamente livre e desimpedido [*ungehemmt*],[4] depois de concluído o trabalho do luto.

Apliquemos agora à melancolia o que aprendemos com o luto. Em uma série de casos é evidente que ela também pode ser a reação à perda de um objeto amado; em outras ocasiões é possível reconhecer que a perda é de natureza mais ideal. Não é que o objeto tenha realmente morrido, mas, como objeto de amor, foi perdido (por exemplo, o caso de uma noiva abandonada). Ainda em outros casos, acreditamos dever nos apoiar na suposição de uma perda como essa, mas não conseguimos discernir com clareza o que foi perdido, e com razão podemos supor que o doente também não é capaz de entender conscientemente o que ele perdeu. Esse também poderia ser o caso de quando o doente sabe qual é a perda que ocasionou a melancolia, na medida em que ele, na verdade, sabe *quem*, mas não sabe *o que* perdeu nele. Isso nos levaria, de alguma forma, a ligar a melancolia com uma perda de objeto que foi subtraída da consciência, diferentemente do luto, no qual não há nada inconsciente no que se refere à perda.

No luto, achamos a inibição e a falta de interesse inteiramente esclarecidas pelo trabalho do luto que absorve o Eu. A perda desconhecida na melancolia também vai ter como consequência um trabalho interno semelhante e que, portanto, será responsável pela inibição da melancolia. É que a inibição melancólica nos passa uma impressão enigmática, porque não conseguimos ver o que arrebata o doente tão completamente. O melancólico ainda nos mostra algo que falta no luto: um extraordinário rebaixamento na autoestima do Eu [*Ichgefühls*],[5] um grandioso empobrecimento do Eu. No luto, o mundo se tornou pobre e vazio; na melancolia, foi o próprio Eu. O doente nos descreve seu Eu como indigno, incapaz e moralmente desprezível;

ele se recrimina, insulta-se e espera ser rejeitado e castigado. Ele se humilha diante de qualquer pessoa e sente pesar por seus familiares estarem ligados a uma pessoa tão indigna. Ele não julga que uma mudança lhe aconteceu, mas estende sua autocrítica ao passado; ele afirma que nunca foi melhor. O quadro desse delírio de inferioridade [Kleinheitswahn] — predominantemente moral — completa-se com insônia, recusa de alimentação e uma superação da pulsão — extremamente peculiar do ponto de vista psicológico — que obriga todo ser vivo a se apegar à vida.

Tanto do ponto de vista científico quando do terapêutico, seria igualmente infrutífero contrariar o doente que apresenta essas acusações contra seu Eu. De alguma forma ele deve ter razão em descrever algo que é como lhe parece. Portanto, temos de reconhecer imediatamente alguns de seus dados, sem restrições. Ele é realmente tão desinteressado, tão incapaz para o amor e para o trabalho como ele diz. Mas isso, como sabemos, é secundário; é consequência do trabalho interior, para nós desconhecido e comparável ao luto, que consome seu Eu. Em algumas de suas outras autorrecriminações, ele nos parece igualmente ter razão e até mesmo captar a verdade com mais agudeza do que outras pessoas, não melancólicas. Quando, em uma autocrítica exacerbada, ele se descreve como um homem mesquinho, egoísta, insincero e dependente, que sempre só se esforçou para esconder as fraquezas de seu ser, talvez ele tenha se aproximado bastante, a nosso ver, do autoconhecimento, e só nos perguntamos por que é preciso primeiro que alguém fique doente para se ter acesso a uma verdade como essa. Pois não resta dúvida de que aquele que chegou a uma autoapreciação como essa e a expressa diante de outros — uma apreciação que o príncipe Hamlet fez de si mesmo e de todos os outros[i] – está doente, quer ele agora diga a verdade, quer seja mais ou menos injusto consigo mesmo. Também não é difícil perceber que entre a medida de autodegradação e sua justificativa real não há, a nosso ver, nenhuma correspondência. Na melancolia, a mulher outrora bem-comportada, capaz e conscienciosa não se referirá a si mesma de um modo melhor do que aquela que na verdade é inútil, e talvez a primeira tenha mais perspectivas de adoecer de melancolia do que a outra, da qual nós também não saberíamos dizer nada de bom. Por fim, tem de nos chamar a atenção o fato de que a conduta do melancólico não é bem a de alguém com sentimento de culpa [*Zerknirschter*] que normalmente faz contrição de arrependimento e autorrecriminação. Falta a vergonha diante dos outros, que caracterizaria sobretudo este último estado, ou então pelo menos ela não aparece de maneira chamativa. No melancólico, quase se poderia destacar o traço oposto, o de uma premente comunicabilidade, que encontra certo apaziguamento [*Befriedigung*] na exposição de si mesmo.

O essencial não é, portanto, que o melancólico tenha razão por causa de sua dolorosa autodepreciação, no sentido de essa crítica coincidir com o julgamento dos outros. Importa muito mais que ele descreva corretamente a sua situação psicológica. Ele perdeu o respeito por si mesmo e deve ter um bom motivo para isso. Estamos, então, na verdade, diante de uma contradição que nos coloca um enigma de difícil solução: segundo a analogia com o luto, tivemos de concluir que ele sofreu uma perda no objeto; a partir de suas afirmações surge uma perda em seu Eu.

---

[i] "Dê a cada homem o que merece e quem escapará do açoite?" [*"Use every man after his desert, and who should scape whipping?"*] *Hamlet*, II, 2.

Antes de tratarmos dessa contradição, vamos nos deter por um momento na visão que nos proporciona a afecção do melancólico na constituição do Eu humano. Vemos como nele uma parte do Eu se contrapõe à outra, avalia-a criticamente e a toma como se fosse um objeto. Nossa suspeita de que a instância crítica clivada[6] do Eu [vom Ich abgespaltene] nesse caso também poderia provar sua autonomia sob outras condições será confirmada por todas as observações posteriores. Nós realmente vamos encontrar motivo para separar essa instância do restante do Eu. O que aqui acabamos de conhecer é a instância habitualmente chamada de *consciência moral* [Gewissen];[7] vamos contá-la entre as grandes instituições do Eu, juntamente com a censura consciente e a prova de realidade, e, em algum lugar, encontraremos também as provas de que ela pode adoecer por conta própria. O quadro clínico da melancolia coloca em evidência a insatisfação moral com o próprio Eu acima de outras críticas: defeito físico, feiura, fraqueza e inferioridade social são muito mais raramente objeto da autoavaliação; somente o empobrecimento [Verarmung] assume um lugar preferencial entre os temores e afirmações do doente.

Então, uma observação, que nem é difícil de fazer, conduz ao esclarecimento da contradição apresentada anteriormente. Se escutamos pacientemente as múltiplas autoacusações [Selbsanklagen] do melancólico, não conseguimos no final conter a impressão de que as mais violentas entre elas frequentemente se adéquam muito pouco à sua própria pessoa, mas que, com ligeiras modificações, podem ser adequadas para outra pessoa que o doente ama, amou ou devia amar. Sempre que examinamos esse assunto, ele confirma essa suposição. Assim, temos na mão a chave do quadro clínico, no qual reconhecemos as autorrecriminações como recriminações contra um objeto de amor, a partir do qual se voltaram para o próprio Eu.

A mulher que, em voz alta, lamenta que seu marido esteja ligado a uma mulher tão incapaz quer, na verdade, queixar-se [*anklagen*] da incapacidade do marido, não importa em que sentido esta possa ser entendida. Não é preciso ficar muito surpreso com o fato de que há algumas autorrecriminações legítimas espalhadas entre as que foram retrovertidas; elas podem passar à frente, porque ajudam a esconder as outras e a tornar impossível o reconhecimento do assunto; na verdade, elas também derivam dos prós e contras da disputa amorosa, que levou à perda amorosa. A conduta dos doentes também fica agora muito mais inteligível. Suas *queixas* são *acusações* [*ihre Klagen sind Anklagen*],[8] no velho sentido do termo; eles não se envergonham nem se escondem, porque tudo de depreciativo que dizem de si mesmos é dito, no fundo, acerca de outra pessoa; eles estão longe de dar provas, àqueles que os cercam, de humildade e submissão, as únicas que conviriam a pessoas tão indignas; ao contrário, eles são extremamente martirizantes, estão sempre como que ofendidos e agindo como se tivessem sido objeto de uma grande injustiça. Tudo isso só é possível porque as reações de sua conduta provêm sempre da constelação psíquica da revolta, que depois, em decorrência de um determinado processo, foi transportada para a contrição melancólica.

Então, não há dificuldade alguma em reconstruir esse processo. Houve uma escolha de objeto, uma ligação da libido a uma determinada pessoa; em consequência de uma *ofensa real* ou de uma *decepção* causada pela pessoa amada, sobreveio um abalo dessa relação de objeto [*Objektbeziehung*]. O resultado não foi o normal, de uma retirada da libido desse objeto e o seu deslocamento para

NEUROSE, PSICOSE, PERVERSÃO 107

um novo, mas foi outro, que parece exigir várias condições para a sua realização. O investimento de objeto provou ser pouco resistente, foi suspenso, porém a libido livre não se deslocou para outro objeto, mas se recolheu no Eu. Lá, no entanto, ela não encontrou uma utilidade qualquer, mas serviu para estabelecer uma *identificação* do Eu com o objeto abandonado. A sombra do objeto caiu sobre o Eu, que agora pôde ser julgado por uma instância especial, como um objeto, como o objeto abandonado. Desse modo, a perda do objeto se transformou em uma perda do Eu, e o conflito entre o Eu e a pessoa amada, em uma cisão entre a crítica do Eu [*Ichkritik*] e o Eu modificado pela identificação.

Dos pontos de partida e resultados de um processo como esse podemos intuir algo imediatamente. É preciso haver, de um lado, uma intensa fixação ao objeto de amor e, de outro, no entanto, e em contradição com isso, uma mínima resistência do investimento de objeto. Essa contradição parece exigir, de acordo com uma pertinente observação de Otto Rank, que a escolha de objeto tenha sido feita sobre uma base narcísica, de maneira que o investimento de objeto, caso se defronte com dificuldades, possa regredir para o narcisismo. A identificação narcísica com o objeto se torna, então, o substituto do investimento amoroso, o que tem como resultado que a ligação amorosa, apesar do conflito com a pessoa amada, não precise ser abandonada. Essa substituição do amor objetal através de identificação constitui um mecanismo importante para as afecções narcísicas; recentemente K. Landauer o descobriu no processo curativo de uma esquizofrenia.[i] Corresponde, naturalmente, à *regressão* de um tipo de escolha de objeto

---

[i] *Intern. Zeitschr. für Psychoanalyse*, II, 1914.

ao narcisismo originário. Afirmamos, em outro lugar, que a identificação é uma etapa preliminar da escolha de objeto e a primeira forma, ambivalente em sua expressão, com que o Eu distingue um objeto. Ele gostaria de incorporar esse objeto e, na verdade, de devorá-lo, de acordo com a fase oral ou canibalística do desenvolvimento da libido. Abraham, com razão, remete a esse contexto a recusa de alimentação, que se apresenta na formação mais grave do estado melancólico.

A conclusão, requerida pela teoria, de que a predisposição ao adoecimento melancólico ou uma parte dela reside no predomínio do tipo narcísico de escolha de objeto infelizmente ainda precisa ser confirmada pela investigação. Nas frases iniciais deste ensaio admiti que o material empírico sobre o qual este estudo foi construído não é suficiente para as nossas pretensões. Se pudéssemos supor uma coincidência da observação com as nossas deduções, não hesitaríamos em incluir em nossa caracterização da melancolia a regressão do investimento de objeto à fase oral da libido, que ainda pertence ao narcisismo. Identificações com o objeto também não são de modo algum raras nas neuroses de transferência e, na verdade, até constituem um conhecido mecanismo de formação de sintoma, em especial na histeria. No entanto, podemos distinguir a identificação narcísica da histérica porque na primeira o investimento de objeto é abandonado, ao passo que na última ele persiste e manifesta um efeito que habitualmente se limita a determinadas ações e inervações isoladas. Seja como for, também nas neuroses de transferência a identificação é a expressão de algo em comum, que pode ser amor. A identificação narcísica é a mais arcaica e nos franqueia o acesso à compreensão da menos bem estudada identificação histérica.

Portanto, a melancolia toma emprestada uma parte de suas características do luto e a outra parte do processo de regressão, da escolha narcísica de objeto até o narcisismo. Por um lado, como o luto, ela é reação à perda real do objeto, mas, além disso, está comprometida com uma condição que falta no luto normal ou, quando presente, converte-o em luto patológico. A perda do objeto de amor é uma excelente ocasião para realçar e trazer à luz a ambivalência das ligações amorosas. Por isso, onde existe a predisposição à neurose obsessiva, o conflito de ambivalência empresta ao luto uma configuração patológica e o obriga a expressar, na forma de autorrecriminações, que se é culpado pela perda do objeto de amor, ou seja, que se a desejou. Nessas depressões neurótico-obsessivas [*zwangsneurotischen Depressionen*] após a morte de pessoas queridas nos é revelado o que o conflito de ambivalência se realiza por si só, quando o recolhimento regressivo da libido não está presente. Os motivos que ocasionam a melancolia frequentemente vão além do acontecimento claro da perda por morte e abrangem todas as situações de ofensa, desprezo e decepção, através das quais pode manifestar-se na ligação uma oposição de amor e ódio, ou uma ambivalência já existente pode ser reforçada. Esse conflito de ambivalência, ora de origem mais real, ora mais constitutiva, não deve ser desconsiderado entre os pressupostos da melancolia. Se o amor pelo objeto – que não pode ser abandonado, ao passo que o próprio objeto o é – se refugiou na identificação narcísica, então o ódio entra em ação nesse objeto substituto, insultando-o, humilhando-o, trazendo-lhe sofrimento e ganhando uma satisfação sádica nesse sofrimento. O autotormento indubitavelmente gozoso [*genussreiche*] da melancolia significa, tal como o fenômeno correspondente na neurose obsessiva, a satisfação de tendências sádicas e de ódio,[i] relativas a um objeto e que, por essa via, voltaram-se contra a própria pessoa. Em ambas as afecções, os doentes ainda conseguem – pelo desvio da autopunição – vingar-se dos objetos originários e torturar seus entes queridos por intermédio de sua condição de doentes [des Krankseins], depois de terem se entregado à doença, para não ter de lhes mostrar diretamente a sua hostilidade. E, de fato, a pessoa que provocou a perturbação afetiva no doente e para a qual está orientada a sua condição de doente pode ser encontrada habitualmente em seu ambiente mais próximo. Assim, o investimento amoroso do melancólico em seu objeto experimentou um duplo destino: parte dele regrediu até a identificação, mas a outra parte, sob a influência do conflito de ambivalência, foi deslocada de volta até a etapa do sadismo, mais próxima desse conflito.

Só esse sadismo resolve para nós o enigma da tendência ao suicídio, pela qual a melancolia se torna tão interessante – e tão perigosa. Reconhecemos, como o estado originário do qual parte a vida pulsional, um amor tão grande do Eu por si mesmo, e vemos liberar-se, na angústia que sobrevém diante da ameaça à vida, um montante tão gigantesco de libido narcísica, que não conseguimos compreender como esse Eu pode consentir em sua própria destruição. Na verdade, sabíamos há muito tempo que nenhum neurótico percebe intenções suicidas que não sejam voltadas para si mesmo, a partir do impulso de matar os outros, porém não entendíamos a partir de qual jogo de forças uma intenção como essa pode entrar em ação. Foi então que a análise da melancolia nos ensinou

---

[i] Sobre a distinção entre ambas, ver meu artigo "As pulsões e seus destinos".

que o Eu só pode se matar se, através do retorno do investimento de objeto, ele puder se tratar a si próprio como objeto, se lhe for permitido dirigir contra si mesmo a hostilidade que vale para um objeto, e que representa a reação originária do Eu contra objetos do mundo exterior.[9] Assim, na regressão da escolha narcísica de objeto, o objeto foi de fato suspenso [*aufgehoben*], mas provou ser mais poderoso do que o próprio Eu. Nas duas situações opostas, do apaixonamento mais extremo e do suicídio, o Eu, mesmo que por caminhos totalmente diferentes, é subjugado pelo objeto.

Parece então plausível admitir — a respeito do caráter marcante da melancolia — o surgimento da angústia de empobrecimento [*Verarmungsangst*], que se origina do erotismo anal, retirado de suas conexões e regressivamente transformado.

A melancolia ainda nos coloca diante de outras questões, cuja resposta em parte nos escapa. Ela compartilha com o luto essa peculiaridade de desaparecer após certo período de tempo, sem deixar grandes alterações demonstráveis. No luto encontramos a informação de que o tempo era necessário para executar detalhadamente a ordem [*Gebot*][10] da prova de realidade, após cujo trabalho o Eu conseguiu liberar a sua libido do objeto perdido. Podemos pensar que o Eu, durante a melancolia, ocupa-se com um trabalho análogo; a compreensão econômica do processo falta tanto em um como no outro caso. A insônia na melancolia testemunha a rigidez desse estado, a impossibilidade de levar a cabo o recolhimento geral dos investimentos necessário para o sono. O complexo melancólico se comporta como uma ferida aberta, atraindo para si, de todos os lados, energias de investimento (que chamamos de "contrainvestimentos" ["*Gegenbesetzungen*"]) nas neuroses de transferência) e esvaziando o Eu até o total empobrecimento; ele pode facilmente se provar resistente ao desejo de dormir do Eu. – Um fator provavelmente somático, que não deve ser explicado psicogenicamente, aparece regularmente na atenuação desse estado ao anoitecer. A estas considerações acrescentamos a pergunta: se uma perda do Eu sem consideração pelo objeto (uma ofensa puramente narcísica) não basta para produzir o quadro da melancolia e se um empobrecimento da libido do Eu, provocado diretamente por toxinas, não pode gerar certas formas de afecção.

A peculiaridade mais notável da melancolia, a que mais requer esclarecimento, é dada através de sua tendência a se transformar no estado sintomaticamente oposto da mania. Sabemos que nem toda melancolia tem esse destino. Alguns casos transcorrem com recidivas periódicas, em cujos intervalos não observamos nenhuma ou muito poucas nuances de mania. Outros mostram aquela alternância regular entre fases melancólicas e maníacas, que encontrou expressão na formulação da insanidade cíclica [*zyklischen Irreseins*]. Estaríamos tentados a excluir esses casos da formulação psicogênica, se o trabalho psicanalítico não tivesse permitido encontrar a solução e a influência terapêutica para justamente muitos desses adoecimentos. Portanto, não é apenas lícito, mas até mesmo obrigatório estender um esclarecimento analítico da melancolia também à mania.

Não posso prometer que essa tentativa chegue a ser inteiramente satisfatória. Ela não vai muito além da possibilidade de uma primeira orientação. Temos aqui dois pontos de apoio à disposição: o primeiro, uma impressão psicanalítica, o outro, podemos chamar de experiência econômica geral. A impressão, à qual vários investigadores psicanalistas já emprestaram palavras, é de que a mania não possui um conteúdo diferente da melancolia, que ambas as afecções lutam contra o mesmo "complexo", ao qual o Eu provavelmente sucumbe na melancolia, enquanto na mania ele o dominou ou o colocou de lado. O outro ponto de apoio é dado pela experiência de que todos os estados de alegria, júbilo e triunfo que nos oferecem o protótipo normal da mania apresentam as mesmas condições econômicas. Trata-se, nesses casos, de uma interferência, por meio da qual um grande dispêndio psíquico, mantido por muito tempo ou produzido habitualmente, finalmente se torna supérfluo, de maneira que ele fica disponível para inúmeras aplicações e possibilidades de descarga [*Abfuhr*].[11] Então, por exemplo: quando um pobre diabo, por ganhar uma grande soma de dinheiro, fica subitamente desobrigado da preocupação crônica com o pão de cada dia, quando uma longa e árdua luta se vê finalmente coroada de êxito, quando se chega a uma situação de poder se libertar, de um só golpe, de uma coerção opressiva, de uma dissimulação que se prolongou por muito tempo, etc. Todas essas situações se caracterizam pelo estado de ânimo elevado, pelas marcas de descarga do afeto prazeroso e por maior prontidão para todo tipo de ações, tal como acontece na mania e em franca oposição com a depressão e com a inibição da melancolia. Podemos ousar afirmar que a mania nada mais é do que um triunfo como esse, só que, mais uma vez, permanece oculto para o Eu o que ele superou e sobre o que ele triunfa. A embriaguez alcoólica, que se inclui na mesma série de estados, pode – contanto que seja alegre – ser colocada do mesmo modo; pode ser que nela se trate da suspensão, por via tóxica, de dispêndios de energia com o recalcamento. A opinião leiga tende a supor que nessa conformação maníaca só se está tão ativo e empreendedor porque se está bem "ligado". É claro que é preciso desfazer essa falsa conexão. É porque foi preenchida aquela mencionada condição econômica na vida psíquica que se está, por um lado, tão bem-humorado e, por outro, tão desinibido na ação.

Se agora reunirmos essas duas indicações, o resultado é o seguinte: na mania o Eu precisa ter superado a perda do objeto (ou o luto pela perda, ou talvez o próprio objeto), e agora fica disponível todo o montante de contrainvestimento que o sofrimento doloroso da melancolia havia atraído do Eu para si e havia ligado. O maníaco também nos demonstra, de maneira inequívoca, sua libertação do objeto que o fez sofrer, quando, como um faminto, sai em busca de novos investimentos de objeto.

Embora esse esclarecimento soe plausível, ainda está, em primeiro lugar, pouco definido e, em segundo, faz com que surjam mais perguntas e dúvidas do que podemos responder. Não queremos nos esquivar da sua discussão, mesmo que não possamos esperar encontrar através delas o caminho da clareza.

Em primeiro lugar, o luto normal também supera a perda do objeto e absorve, enquanto dura, todas as energias do Eu. Por que, depois que passou, não há indícios de que nele se produza a condição econômica para uma fase de triunfo? Acho impossível responder de imediato a essa objeção. Ela chama a nossa atenção no sentido de que nem sequer conseguimos dizer com que meios econômicos o luto resolve a sua tarefa; mas talvez, nesse caso, uma suposição possa nos ajudar. Em cada uma das recordações e das situações de expectativa que mostram a libido ligada ao objeto perdido, a realidade pronuncia seu veredicto de que o objeto não existe mais, e o Eu, por assim dizer, colocado diante da pergunta, se quer compartilhar desse destino, deixa-se determinar pela soma de satisfações narcísicas de estar vivo e desfaz sua ligação com o objeto aniquilado. Podemos imaginar que esse desligamento aconteça tão lenta e gradualmente que, ao terminar o trabalho, também se tenha dissipado o gasto que ele requeria.[i]

É estimulante procurar, a partir da conjectura sobre o trabalho do luto, o caminho para uma figuração do trabalho melancólico. Eis que se nos defronta, de início, uma incerteza nesse caminho. Até agora, mal consideramos o ponto de vista tópico na melancolia nem nos perguntamos em quais e entre quais sistemas psíquicos se realiza o trabalho da melancolia. O que, dos processos psíquicos da afecção, ainda se passa nos investimentos de objeto inconscientes que foram abandonados e o que se passa em seu substituto por identificação no Eu?

É rápido responder e fácil escrever que a "representação (de coisa) [*Ding*-] inconsciente do objeto é abandonada pela libido". Mas na realidade essa representação se apoia em incontáveis impressões singulares (traços inconscientes delas), e a execução desse recolhimento da libido não pode ser um processo momentâneo, mas, como no luto, certamente um processo lento, que avança pouco a pouco. Se ele começa simultaneamente em vários lugares ou se inclui uma determinada sequência não é fácil de distinguir; nas análises constatamos frequentemente que ora uma, ora outra lembrança é ativada, e que as queixas monocórdicas,

---

[i] O ponto de vista econômico foi pouco considerado até agora nos trabalhos psicanalíticos. Como exceção, mencionamos o artigo de V. Tausk, "Desvalorização, por recompensa, do motivo do recalcamento" (*Intern. Zeitschr. für ärztl. Psychoanalyse*, I, 1913).

fatigantes por sua monotonia, provêm, no entanto, a cada vez, de outro fundamento inconsciente. Se o objeto não tiver para o Eu uma importância tão grande, reforçada por milhares de conexões, sua perda não será adequada para causar um luto ou uma melancolia. A característica da execução minuciosa do desligamento da libido deve ser atribuída igualmente à melancolia e ao luto, provavelmente se apoia nas mesmas proporções econômicas e serve às mesmas tendências.

Mas a melancolia, como sabemos, tem como conteúdo algo mais do que o luto normal. Nela, a relação com o objeto não é nada simples, e se torna complicada pelo conflito de ambivalência. Ou a ambivalência é constitucional, isto é, inerente a qualquer ligação amorosa do Eu, ou surge justamente das experiências que carregam em si a ameaça da perda de objeto. Por isso, a melancolia, quanto aos motivos que a acarretam, pode ir muito mais longe do que o luto, que em geral só é desencadeado pela perda real, a morte do objeto. Portanto, na melancolia, trama-se um sem-número de batalhas isoladas pelo objeto, nas quais ódio e amor se enfrentam: um, para desligar a libido do objeto, o outro, para defender essa posição da libido contra o ataque. Não podemos situar essas batalhas isoladas em outro sistema que não o *Ics*,[12] o reino dos vestígios mnêmicos de coisas [*sachlichen Erinnerungsspuren*] (em oposição aos investimentos de palavra) [*Wortbesetzungen*].[13] É lá que acontecem as tentativas de desligamento no luto, mas neste nada impede que esses processos avancem pelo caminho normal através do *Pcs* até a consciência. Esse caminho está interditado para o trabalho melancólico, talvez em consequência de inúmeras causas ou do efeito de sua conjunção. No fundo, a ambivalência constitutiva pertence ao recalcado, as experiências traumáticas com o objeto podem ter ativado um outro [material] recalcado. Então, dessas batalhas de ambivalência, tudo permanece subtraído à consciência, enquanto não sobrevém o desenlace [*Ausgang*] característico da melancolia. Ele consiste, como sabemos, no fato de o investimento de libido ameaçado finalmente abandonar o objeto, mas apenas para se recolher de volta ao lugar do Eu do qual havia partido. Dessa maneira, o amor deixou de ser suspenso [*Aufhebung*] por sua fuga para o Eu. Após essa regressão da libido, o processo pode se tornar consciente e se representa [*repräsentiert*] para a consciência como um conflito entre uma parte do Eu e a instância crítica.

O que a consciência [*Bewußtsein*] apreende do trabalho melancólico não é, portanto, sua parte essencial, não é nem mesmo aquela à qual podemos atribuir uma influência sobre a solução do sofrimento. Vemos que o Eu se degrada, enfurece-se contra si mesmo, e compreendemos tão pouco quanto o doente aonde isso leva e como pode mudar. Podemos atribuir uma produção [*Leistung*] como essa mais à parte inconsciente do trabalho, porque não é difícil descobrir uma analogia essencial entre o trabalho da melancolia e aquele do luto. Assim como o luto leva o Eu a renunciar ao objeto, declarando-o morto e oferecendo-lhe o prêmio de continuar a viver, também cada uma das batalhas de ambivalência afrouxa a fixação da libido no objeto, desvalorizando-o, rebaixando-o e, por assim dizer, matando-o. Existe a possibilidade de o processo terminar no *Ics*, quer seja depois que a fúria se aplacou, quer seja depois que o objeto foi abandonado como destituído de valor. Não compreendemos qual dessas duas possibilidades põe fim à melancolia regularmente ou com maior frequência nem como esse término influencia o andamento posterior do caso. Talvez o Eu possa, com

118 OBRAS INCOMPLETAS DE S. FREUD

isso, desfrutar a satisfação de poder reconhecer-se como o melhor, como superior ao objeto.

Mesmo que aceitemos essa versão do trabalho melancólico, ela não nos pode fornecer a explicação almejada. Nossa expectativa — de que a condição econômica para o surgimento da mania, depois de a melancolia ter seguido o seu curso, fosse encontrada na ambivalência que domina essa afecção — pôde apoiar-se em analogias extraídas de vários outros campos; mas existe um fato diante do qual ela precisa se inclinar. Das três premissas da melancolia: perda do objeto, ambivalência e regressão da libido para o Eu, reencontramos as duas primeiras nas recriminações obsessivas depois de casos de morte. Lá, sem dúvida, é a ambivalência que representa a mola do conflito, e a observação mostra que, depois de passado esse conflito, nada mais resta de parecido com o triunfo de uma condição maníaca. Então, somos remetidos ao terceiro fator como o único eficaz. Aquele acúmulo de investimento, antes ligado, que se libera com o término do trabalho da melancolia e possibilita a mania tem de estar relacionado com a regressão da libido ao narcisismo. O conflito no Eu, que a melancolia substitui pela luta pelo objeto, tem de ter o efeito de uma dolorosa ferida que exige um contrainvestimento extraordinariamente intenso. Mas aqui será novamente adequado fazer uma parada e adiar o posterior esclarecimento da mania até que possamos compreender a natureza econômica da *dor*; primeiro da física e depois da anímica, análoga àquela. Já sabemos que o contexto dos intrincados problemas psíquicos nos obriga a interromper cada investigação sem concluí-la, até que os resultados de outra possam vir em seu auxílio.[i]

---

[i] Ver uma continuação desse exame sobre a mania em "Psicologia das massas e análise do Eu" ["Massenpsychologie und Ich-Analyse"].

Trauer und Melancholie *(1917)*

1917 Primeira publicação: *Zeitschrift für Psychoanalyse*, t. IV, n. 6, p. 288-301

1924 *Gesammelte Schriften*, t. V, p. 535-553

1946 *Gesammelte Werke*, t. X, p. 427-446

Este ensaio faz parte do conjunto de 12 títulos inicialmente propostos para compor a *Metapsicologia*. Desse conjunto, que visava formalizar e consolidar quase duas décadas de atividade clínica e de prática teórica, apenas cinco vieram a lume. Foi escrito durante a guerra, entre abril e maio de 1915, mesma época em que escreveu o "Complemento metapsicológico à doutrina nos sonhos" (ver nota anterior). Assim que conclui sua redação, em 4 de maio de 1915, Freud o anuncia a Karl Abraham, agradecendo-lhe por suas observações preciosas, então já incorporadas ao texto.

Com efeito, Freud havia trabalhado o tema da melancolia 20 anos antes, notadamente no Manuscrito G, cuja data provável seria 7 de janeiro de 1885. Mas foi apenas por volta de 1911, devido ao interesse de Abraham, que Freud volta a se interessar pela temática. Escreve a Ernest Jones sobre o assunto em dezembro de 1914, depois que Viktor Tausk apresenta, junto à Sociedade Psicanalítica de Viena, um trabalho sobre a melancolia. Mas o acontecimento teórico decisivo foi a introdução do conceito de narcisismo, que permitiu reelaborar sua concepção de melancolia. Um esboço das linhas gerais deste ensaio pode ser encontrado na carta enviada a Ferenczi em 7 de fevereiro de 1915. Esse esboço não foi redigido em papel carta, mas em folhas de formato grande, característica da maior parte dos manuscritos freudianos. Em seguida, esse mesmo manuscrito é enviado a Abraham.

Segundo Paul-Laurent Assoun (2009, p. 390), o título do ensaio não espelha apenas uma vaga analogia entre o luto e a melancolia, mas, no plano dos processos psíquicos, uma relação mais profunda, em que o primeiro fornece o modelo explicativo do segundo.

Neste texto, aparece pela primeira vez uma noção que terá forte impacto na história da Psicanálise, a noção de *Objektbeziehung* (ligação ou relação de objeto). Além disso, a concepção de objeto contida nele será decisiva para Melanie Klein fundar sua concepção acerca dos estados depressivos. Em 1934, em sua "Contribuição à psicogênese dos estados maníaco-depressivos", Klein refere-se ao processo fundamental da melancolia, que seria a perda do objeto amado. Finalmente, também Jacques Lacan apoia em grande parte sua teoria do *objeto a* neste escrito, como confessa em sua "Conferência em Louvain".

Vale destacar uma fórmula abundantemente citada na literatura secundária da Psicanálise, que é um dos melhores exemplos do modo como Freud se vale de metáforas para fundar conceitos e teorias: "A sombra do objeto caiu sobre o Eu, que agora pôde ser julgado por uma instância especial, como um objeto, como o objeto abandonado".

KLEIN, M. A Contribution to the Psychogenesis of Maniac-Depressive States. *International Journal of Psycho-Analysis*, n. 16 • LACAN, J. Conférence à Louvain, le 13 octobre 1972. *Quarto*, n. 5, 1981.

NOTAS

[1] *Trauer* em alemão tem uma clara relação com a noção de tristeza, como se pode depreender do adjetivo *traurig* (triste) ou do substantivo composto *Trauerspiel* (tragédia – encenação de tristeza). (N.R.)

[2] Numa tradução mais literal: "sentimento de si". (N.R.)

[3] Trata-se do texto "Metapsychologische Ergänzung zur Traumlehre" (Complementação metapsicológica à Doutrina dos Sonhos). Na presente coleção, será incluído no volume *Sonhos, sintomas e atos falhos*. (N.R.)

[4] De um modo mais literal, teríamos "desinibido". (N.R.)

[5] Literalmente, "Sentimento do Eu". (N.R.)

[6] Cabe aqui a remissão à noção de *Spaltung* como divisão, separação ou clivagem. Termo retomado por Freud no texto "A clivagem do Eu no processo de defesa", publicado nesta coleção no volume *Compêndio de Psicanálise e outros escritos inacabados*. (N.R.)

[7] No alemão, há duas palavras distintas para dois sentidos distintos do vocábulo *consciência*. Designa-se a "consciência" como instância ou qualidade psíquica ao qual o inconsciente se opõe como *Bewusstsein*, ao passo que a "consciência moral" é designada por *Gewissen*. (N.R.)

[8] Célebre jogo de palavras de Freud brilhantemente traduzido por Marilene Carone como: "Para eles, queixar-se é dar queixa". Aqui Freud aponta a íntima relação em alemão entre as noções de acusar, prestar uma queixa formal em juízo (*anklagen*) e reclamar, queixar-se (*klagen*). (N.R.)

[9] O volume *As pulsões e seus destinos* foi publicado em 2013 nesta coleção em edição bilíngue, contendo ainda três ensaios que buscam elucidar alguns aspectos decisivos do artigo de Freud. (N.R.)

[10] Outra tradução possível: "solicitação". (N.R)

[11] *Abfuhr* – esse vocábulo é reiteradamente utilizado por Freud e tem em "descarga" uma possível tradução. Entretanto, cabe ressaltar que,

enquanto o termo em português traz a imagem de algo abrupto, o termo em alemão geralmente remete a um "decurso de escoamento" que pode ser lento e processual. (N.R.)

[12] Freud utiliza aqui a abreviação *Ubw* para se referir a *Unbewusste* (Inconsciente). Mais adiante vemos *Vbw.* (Pcs) relativo a *Vorbewusste* (Pré-Consciente). (N.R.)

[13] Vale observar que a língua alemã dispõe de dois vocábulos para o que designamos em português por "coisa": *das Ding* e *die Sache*. Na presente passagem, Freud refere-se a "vestígios mnêmicos de coisas" [*sachlichen Erinnerungsspuren*]. Um pouco acima, refere-se à "representação (de coisa) inconsciente do objeto [*die unbewußte (Ding-) Vorstellung des Objekts*]. Os parênteses em torno de *Ding-* são do próprio Freud. Quanto a um eventual valor conceitual dessa distinção, cabe ao leitor decidir, de acordo com suas inclinações teóricas. (N.E.)

"BATE-SE NUMA CRIANÇA": CONTRIBUIÇÃO PARA O ESTUDO DA ORIGEM DAS PERVERSÕES SEXUAIS (1919)

I

A representação fantasística [*Phantasievorstellung*]: "bate-se numa criança" é admitida com surpreendente frequência por pessoas que procuram o tratamento analítico por causa de uma histeria ou de uma neurose obsessiva. É muito provável que ela se apresente com ainda maior frequência a outras pessoas que não tenham chegado a essa conclusão pressionadas pela urgência de uma enfermidade manifesta.

A essa fantasia estão ligados sentimentos de prazer, em virtude dos quais ela foi reproduzida inúmeras vezes ou continua sendo reproduzida. No ápice da situação imaginada obtém-se, quase que invariavelmente, uma satisfação masturbatória (portanto, nos genitais), inicialmente, por vontade da pessoa, mas, posteriormente, contra todos os seus esforços de caráter compulsivo.

A admissão dessa fantasia só acontece com hesitação; a lembrança de sua primeira aparição é incerta; uma inequívoca resistência se opõe ao seu tratamento analítico; vergonha e sentimento de culpa [*Schuldbewußtsein*][1] são despertados talvez mais intensamente nesse caso do que em relatos semelhantes sobre as lembranças do início da vida sexual.

Por fim, é possível estabelecer que as primeiras fantasias dessa espécie foram cultivadas desde muito cedo, certamente antes da idade escolar, já no quinto ou sexto ano de vida. No entanto, quando a criança observou, na escola, o professor batendo em outras crianças, essa vivência reavivou as fantasias adormecidas – caso estivessem dormentes –, reforçou-as – caso estivessem presentes – e modificou seu conteúdo de maneira considerável. A partir daí, bateu-se em "muitas" crianças. A importância da escola foi tão evidente que os pacientes em questão tentaram, de início, remeter suas fantasias de surra [Schlagephantasien] exclusivamente às impressões da época escolar, posteriores ao sexto ano de vida. Mas isso nunca se sustentou; elas já estavam presentes anteriormente.

Se o bater em crianças cessou nas séries mais adiantadas, sua influência foi mais do que apenas substituída pelo efeito das leituras que logo se tornariam significativas. No ambiente de meus pacientes, as leituras eram quase sempre as mesmas – livros acessíveis aos jovens –, de cujo conteúdo as fantasias de surra colhiam novos estímulos: a assim chamada Biblioteca Rosa, *A cabana do Pai Tomás*[2] e outros semelhantes. Competindo com essas obras literárias, tinha início a própria atividade de fantasia da criança, produzindo uma riqueza de situações e instituições, nas quais crianças apanhavam ou recebiam outra espécie de castigo ou de corretivo por suas maldades ou travessuras.

Tendo em vista que a representação "bate-se numa criança" era invariavelmente investida com um alto grau de prazer e desembocava em um ato de satisfação autoerótica prazerosa, seria de se esperar que também a visão de uma criança apanhando na escola fosse uma fonte de fruição [Genusses] semelhante. Mas esse não era o caso. Vivenciar cenas reais de surra na escola provocava na criança espectadora uma emoção singular, provavelmente mista, na qual a repulsa tinha uma participação considerável. Em alguns casos, a vivência real das cenas de surra era sentida como intolerável. A propósito, mesmo nas fantasias mais sofisticadas dos anos posteriores havia uma condição de que as crianças que recebessem o castigo não sofreriam nenhum dano mais sério.

Era preciso levantar a questão sobre qual ligação poderia haver entre o significado das fantasias de surra e o papel que teriam desempenhado os corretivos corporais reais na educação familiar. A primeira suposição, de que existiria uma relação inversa, não pôde se comprovar em virtude da parcialidade do material. As pessoas que forneceram os dados para essa análise só apanharam raramente em sua infância e, de qualquer forma, não foram criadas com sovas. É claro que cada uma dessas crianças deve ter sentido, em algum momento, a força corporal superior de seus pais ou educadores; e o fato de não terem faltado estapeamentos [*Schlägereien*] entre as crianças que dividiam o mesmo ambiente não exige destaque especial.

Seria importante continuar a investigação sobre as fantasias precoces e simples que claramente não podiam ser atribuídas à influência das impressões escolares ou às cenas das leituras. Quem era a criança que apanhava? Aquela que estava fantasiando ou uma estranha? Era sempre a mesma criança ou por vezes uma outra? Quem estava batendo nela? Um adulto? Quem? Ou a criança fantasiava que ela própria estava batendo em outra? Não houve esclarecimento para nenhuma dessas perguntas, apenas a única tímida resposta: "Não sei mais nada sobre isso; estão batendo numa criança".

Por outro lado, conseguimos melhores informações sobre o sexo[3] [*Geschlecht*] da criança que apanhava, que, no entanto, não trouxeram esclarecimentos. Às vezes respondiam: "São sempre meninos", ou "Só meninas", mas, na maioria das vezes: "Não sei", ou "Tanto faz". Com relação ao pesquisador, não se obteve o que interessava: um vínculo constante entre o sexo da criança que fantasiava e o sexo da criança que apanhava. De vez em quando surgia um detalhe característico do conteúdo da fantasia:

"Estão batendo no bumbum pelado da criancinha". Nessas circunstâncias, não se podia inicialmente sequer decidir se o prazer relativo à fantasia de surra deveria ser descrito como sádico ou como masoquista.

II

A concepção de uma fantasia emergente na primeira infância – talvez por motivos acidentais – e voltada à satisfação autoerótica só pode querer dizer, de acordo com nossas atuais posições, que se trata de um traço [*Zug*] primário de perversão. Um dos componentes da função sexual teria se antecipado aos outros no curso do desenvolvimento, teria se tornado independente prematuramente, teria se fixado e, por isso, subtraído-se dos processos posteriores de desenvolvimento e, com isso, atestaria uma constituição singular e anormal da pessoa. Sabemos que uma perversão infantil como essa não precisa necessariamente durar a vida toda, ela pode cair sob o recalcamento,[4] ser substituída por uma formação reativa ou transformada por uma sublimação (É possível que a sublimação provenha de um processo especial que seria detido pelo recalcamento). Entretanto, se faltarem esses processos, a perversão se conserva até a maturidade, e sempre que encontramos uma aberração [*Abirrung*] sexual no adulto – perversão, fetichismo, inversão –, temos motivos para esperar que a anamnese revele na infância um evento fixador como esse. Muito antes da época da Psicanálise, observadores como Binet já tinham podido atribuir as estranhas aberrações sexuais da maturidade a impressões desse tipo e exatamente na mesma época da infância, aos 5 ou 6 anos. Mas nesse ponto encontrávamos uma barreira em nossa compreensão, pois faltava qualquer força traumática às impressões fixadas; elas eram banais em sua maioria e não estimulantes para outros indivíduos; não se podia dizer por que o anseio sexual [*Sexualstrebens*] tinha se fixado exatamente nelas. Por outro lado, era possível procurar sua importância no fato de que elas teriam oferecido – aos componentes sexuais que se desenvolviam prematuramente e que estavam preparados para se colocar em primeiro plano – a ocasião, mesmo que acidental, para a fixação, e tínhamos de estar preparados para prever que a cadeia de conexão causal teria em algum momento um final provisório. Nesse sentido, a constituição congênita parecia corresponder exatamente a todos os requisitos para um ponto de apoio como esse.

Se o componente sexual que se separou prematuramente for o sádico, podemos esperar, com base no conhecimento advindo de outro lugar, que através de seu recalcamento posterior será gerada uma disposição para a neurose obsessiva.[5] Não se pode dizer que essa expectativa será contrariada pelo resultado da investigação. Entre os seis casos, sobre cujo estudo exaustivo se baseia este pequeno artigo (quatro mulheres e dois homens), havia dois de neurose obsessiva: um extremamente grave, incapacitante[6] [*lebenszerstörender*], e um de gravidade mediana, bastante acessível à influência do tratamento, e ainda um terceiro, que ao menos apresentava alguns traços nítidos da neurose obsessiva. O quarto caso era abertamente uma franca histeria com dores e inibições, e um quinto, que procurou a análise simplesmente por causa de indecisão na vida e não seria absolutamente classificado no diagnóstico clínico comum ou seria despachado como "psicastenia". Não é necessário que fiquemos desapontados com essa estatística, porque, em primeiro lugar, sabemos que nem toda disposição vai se desenvolver numa afecção [*Affektion*],

128 OBRAS INCOMPLETAS DE S. FREUD

e, em segundo, ela deve bastar se pudermos explicar o que existe, e podemos nos dar o direito de evitar a tarefa de esclarecer por que algo não aconteceu.

Até aqui, mas não adiante, nossos conhecimentos atuais nos permitiram penetrar quanto à compreensão das fantasias de surra. Uma vaga suspeita de que, dessa maneira, o problema não está resolvido passa pela cabeça do médico analista, quando ele precisa admitir para si próprio que essas fantasias, em sua maioria, permanecem separadas do conteúdo restante da neurose e não possuem um lugar adequado em sua estrutura; no entanto, como sei por minha própria experiência, devemos prontamente rejeitar essas impressões.

III

A rigor – e por que não tomar isso tão rigorosamente quanto possível? – só merece o reconhecimento como Psicanálise correta o empenho analítico que logra remover a amnésia que esconde ao adulto o conhecimento de sua infância desde o início (ou seja, aproximadamente do segundo até o quinto ano). Entre analistas, não se consegue dizer isso com voz suficientemente alta nem repeti-lo o bastante. Os motivos para desconsiderarem essa advertência são, na verdade, compreensíveis. Eles querem obter resultados práticos em tempo mais curto e com o menor esforço. Acontece que, no momento, o conhecimento teórico é muitíssimo mais importante para cada um de nós do que o sucesso terapêutico, e aquele que menospreza a análise da infância incorrerá fatalmente em sérios erros. Insistir na importância das primeiras vivências não implica subestimar a influência das posteriores. Ocorre que as impressões vitais posteriores falam suficientemente alto na análise, através da boca do paciente, enquanto somente o médico pode levantar a voz em favor das reivindicações da infância.

O período da infância entre 2 e 4 ou 5 anos é aquele no qual, pela primeira vez, os fatores libidinais congênitos são despertados pelas vivências e ligados a determinados complexos. As fantasias de surra aqui tratadas só se revelam mais para o final desse período ou depois de seu término. Portanto, é bem possível que elas tenham uma pré-história, que sofram um desenvolvimento e que correspondam a um resultado final, e não a uma manifestação inicial.

Essa suspeita é confirmada pela análise. O exercício consequente da análise ensina que as fantasias de surra possuem uma história evolutiva nada simples, em cujo decurso a maior parte delas é modificada mais de uma vez: sua relação com o autor da fantasia, seu objeto, conteúdo e seu significado.

Para que fique mais fácil seguir essas transformações nas fantasias de surra, vou me permitir limitar minhas descrições às pessoas do sexo feminino, que, de qualquer forma (quatro contra dois), constituem a maioria do meu material. Além disso, às fantasias de surra nos homens está ligado outro tema que deixarei de lado neste ensaio.[7] Vou me esforçar para não esquematizar mais do que o inevitável na apresentação de um caso comum. Se uma observação posterior trouxer uma maior diversidade dessas relações, então estarei seguro de ter compreendido um acontecimento típico, e não algo de natureza incomum.

A primeira fase das fantasias de surra nas meninas deve pertencer, portanto, a um período muito remoto da infância. Alguma coisa nelas permanece curiosamente indefinida, como se fosse indiferente. A escassa informação que se recebe das pacientes na primeira comunicação: "Bate-se numa criança" parece justificada para essa fantasia. Entretanto, há outra coisa que pode ser determinada com segurança e, em todos os casos, no mesmo sentido. A criança que apanha, com efeito, nunca é aquela que fantasia; via de regra é outra criança, quase sempre um irmãozinho ou uma irmãzinha, quando houver algum. Como pode ser um irmão ou uma irmã, não é possível estabelecer um vínculo constante entre o sexo da criança que fantasia e o da que apanha. Então, certamente a fantasia não é masoquista; poderíamos chamá-la de sádica, mas não podemos desconsiderar que a criança que fantasia nunca é a que bate. Não fica claro de início quem é realmente a pessoa que bate. Só se pode comprovar que não é outra criança, mas um adulto. Essa pessoa adulta indeterminada é, então, mais tarde, reconhecível de maneira clara e inequívoca como o *pai* (da menina).

Essa primeira fase da fantasia de surra pode, portanto, ser enunciada plenamente através da frase: *O [meu] pai está batendo na criança* [*Der Vater schlägt das Kind*]. Estarei denunciando grande parte do conteúdo que ainda apresentarei se, em vez disso, eu disser: "O [meu] pai está batendo *na criança que eu odeio*" [*Der Vater schlägt das mir verhaßte Kind*]. Podemos, inclusive, hesitar sobre se devemos atribuir o caráter de "fantasia" a esse estágio preliminar da futura fantasia de surra. Talvez se trate antes de lembranças de eventos presenciados ou de desejos que tenham surgido de diversas ocasiões, mas essas dúvidas não têm nenhuma importância.

Entre essa primeira e a próxima fase aconteceram grandes transformações. A pessoa que bate continua sendo a mesma, o pai, mas a criança que apanha transformou-se em outra; em geral, é a pessoa da própria criança que produz a fantasia; a fantasia é altamente prazerosa e foi preenchida com um conteúdo significativo, a cujo desenrolar [*Ableitung*] nos dedicaremos mais tarde. Seu teor agora seria: *Estou sendo surrada pelo meu pai* [*Ich werde vom Vater geschlagen*]. Ela tem um caráter indiscutivelmente masoquista.

Essa segunda fase é a mais importante e a mais significativa de todas. Porém, em certo sentido, podemos dizer que ela nunca teve uma existência real. Em nenhum caso ela é lembrada; nunca conseguiu tornar-se consciente. Ela é uma construção da análise, mas nem por isso é menos necessária.

A terceira fase assemelha-se novamente à primeira. Ela soa conforme a comunicação da paciente. A pessoa que bate nunca é o pai; ou ela permanece indefinida como na primeira fase, ou é substituída, tipicamente, por um substituto do pai (como o professor). A própria pessoa da criança que fantasia não aparece mais na fantasia de surra. Em resposta às insistentes perguntas, as pacientes apenas dizem: "Provavelmente estou olhando". Em vez de apenas uma criança apanhando há agora, quase sempre, muitas crianças. Com excessiva frequência, são os meninos que apanham (nas fantasias das meninas), mas elas não os conhecem pessoalmente. A situação originalmente simples e monótona de apanhar pode experimentar as mais diversas variações e adornos, e o próprio apanhar pode ser substituído por castigos e humilhações de outra natureza. Entretanto, a característica essencial que distingue mesmo as mais simples fantasias dessa fase daquelas da primeira e que estabelece a ligação com a fase intermediária é a seguinte: agora a fantasia é a portadora de uma excitação intensa, inequivocamente sexual, e, como tal, proporciona a satisfação masturbatória. No entanto, é exatamente isto que é enigmático: por que caminho a fantasia – que a partir de agora é sádica, de meninos estranhos e desconhecidos apanhando – chegou a se tornar, a partir daí, propriedade permanente do anseio libidinal da menininha?

Também não escondemos de nós mesmos que o nexo e a sequência das três fases da fantasia de surra, bem como as suas outras peculiaridades, permaneceram até aqui bastante incompreensíveis.

IV

Se conduzimos a análise por aqueles anos remotos em que a fantasia de surra se situa e a partir dos quais ela é recordada, ela mostra a criança enredada nas excitações de seu complexo parental. A menininha está ternamente fixada ao pai, que provavelmente fez tudo para ganhar seu amor e que, dessa forma, inculca o gérmen de uma atitude de ódio e concorrência em relação à mãe, atitude que subsiste ao lado de uma corrente de terna dependência. Como o gérmen dessa atitude pode ficar conservado, é possível que, com o passar dos anos, essa atitude se torne cada vez mais forte e mais nitidamente consciente, ou dê ensejo para uma exagerada ligação amorosa reativa com a mãe. Mas a fantasia de surra não está ligada à relação com a mãe. Há no mesmo ambiente outras crianças alguns anos mais velhas ou mais novas, de quem ela não gosta por quaisquer outros motivos, mas principalmente porque precisa compartilhar com elas o amor dos pais e que, por isso, são repelidas com toda a energia selvagem que caracteriza essa idade. Se há um irmãozinho menor (como em três dos meus quatro casos), ele é desprezado e odiado, e ainda por cima ela precisa observar como pode atrair para si aquela porção de ternura que os pais enceguecidos sempre estão prontos a dedicar ao mais novo. Logo se percebe que apanhar, mesmo quando não dói muito, significa uma retração do amor e uma humilhação. E muitas crianças, que se acreditavam seguras no trono que lhes oferece o amor inabalável de seus pais, foram derrubadas com um único golpe das alturas de sua presumida onipotência. Que o pai bata nessa criança odiada é, portanto, uma representação agradável, independentemente de ter sido visto batendo. E significa: meu pai não ama essa outra criança, *ele só ama a mim*.

Esse é, então, o conteúdo e o significado da fantasia de surra em sua primeira fase. É evidente que a fantasia satisfaz o ciúme da criança e depende de sua vida amorosa, mas ela também é poderosamente reforçada pelos seus interesses egoístas. Assim sendo, não se sabe se ela pode ser caracterizada como puramente "sexual"; também não nos atrevemos a chamá-la de "sádica". Sabemos que, quando se trata de origem, perde-se a clareza sobre todos os sinais com os quais estamos habituados a construir nossas distinções. Talvez isso seja semelhante à profecia que as três bruxas fizeram a Banquo[8]: não claramente sexual, nem mesmo sádico, mas certamente a matéria da qual ambos posteriormente serão feitos. Entretanto, não existe motivo algum para a suspeita de que essa primeira fase da fantasia já esteja a serviço de uma excitação que, recorrendo aos genitais, obtenha descarga em um ato onanista.

Nessa prematura escolha de objeto do amor incestuoso, a vida sexual da criança alcança evidentemente o estágio da organização genital. Para o menino isso é mais fácil de provar, mas é também indubitável para a menininha. Algo como um vislumbre sobre as posteriores metas sexuais definitivas e normais domina o anseio libidinal da criança; mesmo que com razão fiquemos surpresos quanto a sua origem, podemos tomá-lo como prova de que os genitais já começaram a desempenhar seu papel no processo de excitação. Jamais está ausente no menino o desejo de ter um filho com a mãe; o desejo de ter um filho com o pai é constante na menina, e isso na total ignorância sobre como esses desejos se realizariam. O que parece estar estabelecido para a criança é que os genitais têm algo a ver com isso, embora suas cogitações a levem a procurar a essência da intimidade que pressupõe entre os pais em outras formas de ligação, por exemplo, em dormirem juntos, em urinarem em presença um do outro e outras semelhantes; e esse conteúdo pode ser mais bem apreendido na forma de representações de palavra [*Wortvorstellungen*] do que da forma obscura que diz respeito aos genitais.

Mas chega o tempo em que essa florada prematura é prejudicada pela geada; nenhum desses enamoramentos incestuosos pode escapar da fatalidade do recalcamento. Ou sucumbem a ele pela comprovação de eventos externos que provocam um desengano, por ofensas [*Kränkungen*] inesperadas, pelo nascimento indesejado de um novo irmãozinho, que será sentido como infidelidade, etc., ou sem a necessidade de nenhum desses motivos, a partir de dentro, talvez apenas devido à não realização tão longamente almejada. É inquestionável que esses motivos não são as causas efetivas, mas é certo que essas relações amorosas estão fadadas a se extinguir em algum momento e não sabemos por que motivo.[9] É muito provável que elas passem porque seu tempo acabou, porque as crianças entram em uma nova fase de desenvolvimento, na qual é necessário que repitam o recalcamento da escolha de objeto incestuosa ocorrida na história da humanidade, da mesma forma como foram pressionadas anteriormente a efetuar essa escolha de objeto (ver o destino no mito de Édipo). O que restou inconsciente como resultado psíquico das moções amorosas incestuosas não será mais retomado pela consciência da nova fase, e o que já tinha se tornado consciente será expulso novamente. Simultâneo a esse processo de recalcamento surge um sentimento de culpa

[*Schuldbewusstsein*], este também de origem desconhecida, mas indubitavelmente ligado àqueles desejos incestuosos, justificado por sua permanência no inconsciente.[i]

A fantasia do período de amor incestuoso havia dito: "Ele (o pai) só ama a mim, não a outra criança, pois ele está batendo nela". O sentimento de culpa não sabe encontrar castigo maior do que a inversão desse triunfo: Não, ele não te ama, pois está batendo em você. Dessa forma, a fantasia da segunda fase – ser surrado pelo próprio pai – se transforma em expressão direta do sentimento de culpa, diante do qual sucumbe agora o amor pelo pai. Portanto, a fantasia tornou-se masoquista; pelo que sei, é sempre assim: o sentimento de culpa é o fator que transforma o sadismo em masoquismo. Mas é claro que esse não é o conteúdo integral do masoquismo. O sentimento de culpa não pode ter conquistado o campo sozinho; uma parcela dele também deve ser atribuída à moção amorosa. Lembremo-nos de que se trata de crianças, nas quais o componente sádico pôde se adiantar prematura e isoladamente por motivos constitucionais. Não precisamos desistir desse ponto de vista. É justamente nessas crianças que é particularmente facilitado um retorno à organização pré-genital, sádico-anal da vida sexual. Quando a ainda mal alcançada organização genital encontra o recalcamento, não acontece apenas a consequência de que toda e qualquer representação psíquica do amor incestuoso se torna ou permanece inconsciente, mas uma outra se agrega: a de que a própria organização genital sofre uma degradação regressiva. O que era: "Meu pai me ama" foi dito no sentido genital, e através da regressão se transforma em: "Meu pai me bate" (estou apanhando do meu

---

[i] Ver a continuação em "O declínio do complexo de Édipo" (1924) [neste volume, na p. 259. (N.E.)].

pai) [*Der Vater schlägt mich (ich werde vom Vater geschlagen)*]. Esse "ser surrado" é agora um encontro de sentimento de culpa com erotismo; *ele não é apenas o castigo pela relação genital proibida, mas também seu substituto regressivo,* e dessa última fonte a fantasia recebe a excitação libidinal que, de agora em diante, se aderirá a ela e encontrará descarga em atos onanistas. Mas essa é, pois, a essência do masoquismo.

A fantasia da segunda fase – apanhar do próprio pai – permanece, via de regra, inconsciente, provavelmente em consequência da intensidade do recalcamento. Não posso indicar o porquê de justamente em um de meus seis casos (um masculino) ela ter sido lembrada conscientemente. Esse homem, agora adulto, havia guardado bem claramente na memória que costumava utilizar a representação de apanhar da mãe para fins de masturbação; é claro que logo ele substituiu a própria mãe pela mãe de colegas de escola ou outras que, de alguma forma, assemelhavam-se a ela. Não se deve esquecer que, no caso da transformação da fantasia do menino na correspondente [fantasia] masoquista, produz-se uma inversão a mais do que no caso da menina, a saber, a substituição de atividade por passividade, e esse "a mais" de desfiguração pode proteger a fantasia de permanecer inconsciente como resultado do recalcamento. Assim, para o sentimento de culpa, teria bastado a regressão em vez do recalcamento; nos casos femininos, o sentimento de culpa – talvez por ser em si mais exigente – só se acalmaria através da combinação de ambos.

Em dois de meus quatro casos femininos desenvolveu-se, sobre a fantasia de surra, uma engenhosa superestrutura de sonhos diurnos[10] [*Tagträume*], muito significativa para a vida da pessoa em questão; uma cuja função era possibilitar um sentimento de que a excitação fora satisfeita, mesmo com a renúncia ao ato onanista. Em um desses

NEUROSE, PSICOSE, PERVERSÃO 137

casos era permitido que o conteúdo – ser surrado pelo pai – se aventurasse novamente até a consciência, se o próprio Eu se tornasse irreconhecível através de um ligeiro disfarce. O herói dessas histórias apanhava sistematicamente do pai, sendo posteriormente apenas punido, humilhado, etc.

Mas eu torno a repetir que, via de regra, a fantasia permanece inconsciente e só vai ser reconstruída na análise. Talvez isso nos deixe dar razão aos pacientes que querem se lembrar de que o onanismo surgiu para eles mais cedo do que a fantasia de surra da terceira fase, considerada logo adiante; esta última só teria sido acrescentada posteriormente, talvez sob a impressão de cenas escolares. Sempre que demos crédito a esses dados, tendíamos a supor que o onanismo estava, inicialmente, sob o comando de fantasias inconscientes posteriormente substituídas por conscientes.

Vamos, então, tomar um substituto como esse para a conhecida fantasia de surra da terceira fase, em sua configuração definitiva, na qual a criança que fantasia aparece ainda, no máximo, como espectador, e o pai é mantido na pessoa de um professor ou de outra autoridade qualquer. A fantasia, que agora é semelhante àquela da primeira fase, parece ter se tornado novamente sádica. Tem-se a impressão de que na frase: "Meu pai está batendo na outra criança, ele ama só a mim" [*Der Vater schlägt das andere Kind, er liebt nur mich*] a ênfase recuou para a primeira parte, depois que a segunda sofreu recalcamento. Na verdade, apenas a forma dessa fantasia é sádica; a satisfação que se obtém com ela é masoquista, e seu significado reside no fato de que ela assumiu o investimento libidinal da parte recalcada e, junto com ele, o sentimento de culpa ligado ao conteúdo. Todas as crianças indefinidas que apanham do professor são, afinal, substitutos da própria pessoa.

Aqui, também pela primeira vez, apresenta-se algo como uma constância do sexo nas pessoas que servem à fantasia. As crianças que apanham são quase sempre meninos, tanto nas fantasias dos meninos quanto nas das meninas. É evidente que esse traço não pode ser explicado por qualquer rivalidade entre os sexos, pois, do contrário, muito mais meninas teriam de apanhar nas fantasias dos meninos; ele também não pode ser explicado pelo sexo da criança odiada da primeira fase, mas aponta para um processo complicado no caso das meninas. Quando elas se afastam do amor incestuoso do pai, entendido como genital, rompem facilmente com seu papel feminino, reavivam seu "complexo de masculinidade" (conforme Van Ophuijsen)[11] e, a partir daí, só querem ser meninos. É por isso que os bodes expiatórios que as representam também são meninos. Em ambos os casos de devaneios – um deles quase chegou ao nível de uma criação literária – os heróis eram sempre apenas homens jovens, pois as mulheres nem sequer apareciam nessas criações e só apareceram depois de muitos anos em papéis secundários.

V

Espero ter apresentado minhas experiências analíticas de maneira suficientemente detalhada e peço apenas que se considere que os seis casos reiteradamente mencionados não esgotam o meu material, e que disponho, tal como outros analistas, de um número muito maior de casos não tão bem investigados. Essas observações podem ser utilizadas em vários sentidos: para esclarecimento da gênese das perversões em geral, particularmente do masoquismo, e para avaliar o papel que desempenha a diferença entre os sexos na dinâmica da neurose.

NEUROSE, PSICOSE, PERVERSÃO 139

O resultado mais evidente dessa discussão diz respeito à origem das perversões. Na verdade, não está abalada a concepção de que nelas o reforço constitucional ou a prematuridade de um componente sexual passa ao primeiro plano, mas com isso nem tudo foi dito. A perversão não se encontra mais isolada na vida sexual da criança, mas é acolhida dentro da trama dos nossos processos de desenvolvimento já conhecidos e típicos – para não dizer: normais. Ela é colocada em relação com o amor objetal incestuoso da criança, com o seu complexo de Édipo; surge primeiro no terreno desse complexo e depois que ele sucumbe, ela permanece, em geral sozinha, como sua sequela, como herdeira de sua carga [*Ladung*] libidinal e carregada com o sentimento de culpa a ele ligado. A constituição sexual anormal mostrou finalmente sua força, pressionando o complexo de Édipo em uma determinada direção, forçando-o a se tornar um fenômeno residual incomum.

A perversão infantil pode, como sabemos, tornar-se o fundamento para a formação de uma perversão semelhante que dure toda a vida, consumindo toda a vida sexual da pessoa, ou pode ser interrompida e se conservar ao fundo de um desenvolvimento sexual normal, do qual, então, ela sempre retira certo montante de energia. A primeira alternativa já era conhecida em épocas pré-analíticas, mas o abismo entre ambas é quase que coberto pela pesquisa analítica das perversões plenamente desenvolvidas. De fato, descobrimos muito frequentemente que também esses perversos, habitualmente na puberdade, ensaiaram uma tentativa de atividade sexual normal. Mas ela não foi forte o suficiente e foi abandonada diante das primeiras dificuldades, que nunca faltam, e então a pessoa retrocedeu definitivamente à fixação infantil.

É claro que seria importante saber se podemos atribuir, de maneira bem geral, a origem das perversões infantis ao complexo de Édipo. Isso não pode ser decidido sem outras investigações, mas não pareceria impossível. Se consideramos as anamneses obtidas das perversões de pessoas adultas, percebemos que a impressão decisiva, a "primeira vivência" de todos esses perversos, fetichistas, etc., quase nunca remonta a períodos anteriores ao sexto ano. Mas nessa época já cessou o domínio do complexo de Édipo; a vivência efetiva, que é recordada de maneira tão enigmática, poderia muito bem representar o legado desse complexo. As ligações entre a vivência e o complexo agora recalcado vão permanecer obscuras enquanto a análise não iluminar o período que está por trás da primeira impressão "patogênica". De maneira que se pode imaginar quão pouco valor possui, por exemplo, a afirmação de uma homossexualidade inata, baseada na informação de que a pessoa em questão já sentira preferência pelo mesmo sexo desde os 8 ou 6 anos.

Se então, de modo geral, for estabelecido que as perversões derivam do complexo de Édipo, nossa avaliação delas sofreu um novo fortalecimento. Pois acreditamos que o complexo de Édipo seja o verdadeiro núcleo da neurose e que a sexualidade infantil, que culmina nesse complexo, seja a condição efetiva da neurose; e que o que resta dele no inconsciente representaria a disposição do adulto para, posteriormente, contrair uma neurose. A fantasia de surra e outras fixações perversas análogas também seriam, então, apenas resíduos do complexo de Édipo, cicatrizes, por assim dizer, deixadas pelo processo que terminou, da mesma forma que a famigerada noção de "inferioridade" [*Minderwertigkeit*] corresponde a uma cicatriz narcísica desse tipo. Devo expressar meu total

NEUROSE, PSICOSE, PERVERSÃO 141

acordo com essa concepção de Marcinowski, que a sustentou de maneira feliz.[i] Esse delírio de insignificância [*Kleinheitswahn*] dos neuróticos também é sabidamente apenas parcial e inteiramente compatível com a existência de uma supervalorização de si [*Selbstüberschätzung*] oriunda de outras fontes. Sobre a origem do próprio complexo de Édipo e sobre o destino reservado ao ser humano – provavelmente único entre todos os animais – de ter de iniciar duas vezes a vida sexual: primeiro, como todas as outras criaturas, desde a tenra infância, e posteriormente, depois de longa interrupção, de novo na puberdade, sobre tudo isso, ligado à sua "herança arcaica", já me manifestei em outro lugar e não pretendo voltar a abordá-lo aqui.

Para a gênese do masoquismo, a discussão sobre nossas fantasias de surra traz apenas parcas contribuições. Parece confirmar-se inicialmente que o masoquismo não constitui uma manifestação pulsional primária, mas se origina de uma reversão do sadismo contra a própria pessoa, portanto, por regressão do objeto para o Eu (ver "As pulsões e seus destinos"[12]). Pulsões com metas passivas existem desde o início, principalmente na mulher, mas a passividade ainda não chega a constituir o todo do masoquismo; ainda faz parte dele o caráter desprazeroso, que é bem estranho numa realização pulsional. A transformação do sadismo em masoquismo parece acontecer através da influência do sentimento de culpa que faz parte do recalcamento. Portanto, o recalcamento opera por meio de três tipos de efeito: ele torna inconscientes os resultados da organização genital, força-a à regressão até a fase anterior sádico-anal

---

[i] "As fontes eróticas dos sentimentos de inferioridade" ["Die erotischen Quellen der Minderwertigkeitsgefühle"], *Zeitschrift für Sexualwissenschaft*, IV, 1918.

e transforma o sadismo dessa fase no masoquismo passivo, em certo sentido novamente narcísico. Desses três resultados, o segundo é possível pela fraqueza da organização genital suposta nesses casos; o terceiro é necessário porque o sentimento de culpa se escandaliza tanto com o sadismo como na ocasião da escolha incestuosa de objeto entendida como genital. Uma vez mais, as análises não dizem de onde vem esse sentimento de culpa. Parece ter sido trazido da nova fase na qual a criança ingressa, e, se ele persiste a partir daí, parece corresponder a uma formação cicatricial, tal como o sentimento de inferioridade. De acordo com a nossa orientação atual, ainda incerta sobre a estrutura do Eu, deveríamos atribuí-lo àquela instância que se contrapõe ao resto do Eu como consciência crítica, que no sonho produz o fenômeno funcional de Silberer[13] e que se desprende do Eu no delírio de ser observado [*Beachtungswahn*].

De passagem, queremos assinalar que a análise da perversão infantil aqui tratada também ajuda a solucionar um antigo enigma que, na verdade, atormentou mais os que estão fora da análise do que os próprios analistas. No entanto, recentemente o próprio E. Bleuler[14] admitiu ser curioso e inexplicavelmente reconhecido que os neuróticos coloquem o onanismo no centro de seu sentimento de culpa. Há muito tempo fizemos a suposição de que esse sentimento de culpa dizia respeito ao onanismo da primeira infância, e não ao da puberdade, e que, em grande parte, não estava relacionado com o ato onanista, mas à fantasia, embora inconsciente, que estava em sua base, ou seja, o complexo de Édipo.

Já comentei sobre a importância da terceira fase, aparentemente sádica, da fantasia de surra, como portadora da excitação que pressiona para o onanismo, e para qual atividade fantasística essa fase parece incitar: para aquela que por um lado lhe dá continuidade no mesmo sentido e por outro a suspende por compensação. No entanto, a segunda fase, inconsciente e masoquista, é incomparavelmente a mais importante: a fantasia de apanhar do próprio pai. Não apenas porque estende seu efeito por mediação daquela que a substitui; podem igualmente ser detectados efeitos sobre o caráter, que derivam de sua forma inconsciente. Aqueles que carregam essa fantasia desenvolvem uma particular sensibilidade e irritabilidade contra pessoas que podem incluir na série paterna; são facilmente ofendidas por elas e, assim, realizam a situação fantasística de apanhar do pai, produzindo-a para seu próprio sofrimento e prejuízo. Eu não me espantaria se algum dia fosse possível demonstrar que essa mesma fantasia é a base do paranoico delírio querelante [*Querulantenwahns*].

VI

A descrição das fantasias infantis de surra teria ficado totalmente incompreensível se eu não a tivesse limitado, com exceção de poucas referências, às situações de pessoas de sexo feminino. Vou resumir rapidamente os resultados: a fantasia de surra das meninas pequenas passa por três fases, das quais a primeira e a última são lembradas conscientemente, mas a do meio permanece inconsciente. As duas conscientes parecem ser sádicas; a do meio, inconsciente, é indubitavelmente de natureza masoquista; seu conteúdo é apanhar do pai, e a ela estão ligadas a carga libidinal e a consciência de culpa. A criança que apanha nas duas primeiras fantasias é sempre outra; na do meio é apenas a própria pessoa, e na terceira fase, consciente, são em sua maioria meninos que estão apanhando. A pessoa que bate é, desde o começo, o pai, e, posteriormente, um substituto tomado da série paterna. A fantasia inconsciente da fase do meio teve originalmente um sentido genital; ela surgiu,

144 OBRAS INCOMPLETAS DE S. FREUD

por recalcamento e regressão, do desejo incestuoso de ser amada pelo pai. Em conexão aparentemente mais frouxa, temos o caso de as meninas, entre a segunda e a terceira fase, mudarem o seu sexo fantasiando que são meninos. Talvez eu tenha avançado menos no conhecimento das fantasias de surra dos meninos, apenas por causa da adversidade do meu material. É compreensível que eu esperasse encontrar, no caso de meninos e meninas, plena analogia, entrando a mãe no lugar do pai na fantasia. Essa expectativa pareceu confirmar-se, pois a fantasia que consideramos correspondente no menino tinha como conteúdo apanhar da mãe (posteriormente de uma pessoa substituta). Apenas a fantasia em que a própria pessoa é tomada como objeto distinguiu-se da segunda fase no caso das meninas, pelo fato de que ela podia tornar-se consciente. Se, entretanto, por causa disso, se quisesse equipará-la à terceira fase da menina, teríamos uma nova diferença, a saber, a de que a própria pessoa do menino não seria substituída por muitas pessoas – indeterminadas e estranhas –, e muito menos por muitas meninas. Portanto, malogrou-se a expectativa de um paralelismo completo.

Meu material masculino só consistia de poucos casos de fantasia infantil de surra, sem qualquer outro dano sério da atividade sexual; em contrapartida, incluía um número maior de pessoas que eu devia descrever como verdadeiros masoquistas, no sentido da perversão sexual. Alguns deles encontravam sua satisfação sexual – com fantasias masoquistas – exclusivamente no onanismo; outros conseguiam combinar de tal maneira o masoquismo e a atividade genital que, nas encenações masoquistas e sob condições dessa mesma ordem, alcançavam ereção e ejaculação ou estavam em condições para executar um coito normal. A isso se somou o raro caso de um masoquista que, em sua ação perversa, foi perturbado por representações obsessivas de intensidade intolerável. Perversos satisfeitos muito raramente veem razão para procurar análise; no entanto, para os três grupos mencionados de masoquistas, pode haver fortes motivos que os levem ao analista. O onanista masoquista vai se achar absolutamente impotente no momento em que finalmente tentar o coito com a mulher, e aquele que até agora conseguiu realizar o coito com o auxílio de uma representação ou encenação masoquista pode fazer, de repente, a descoberta de que essa confortável aliança falha quando o genital não mais reage ao estímulo masoquista. Estamos acostumados a prometer um restabelecimento confiante aos psiquicamente impotentes que demandam o nosso tratamento, entretanto deveríamos ser mais cautelosos nesse prognóstico enquanto desconhecermos a dinâmica da perturbação. Pois a análise nos apresenta uma surpresa desagradável quando revela como causa da impotência "meramente psíquica" uma peculiar posição masoquista, talvez há muito tempo arraigada.

No caso desses homens masoquistas, fazemos agora uma descoberta que nos adverte a não continuar perseguindo a analogia com as relações encontradas nas mulheres, mas para julgarmos o estado de coisas separadamente. Isso porque fica revelado que eles – tanto nas fantasias masoquistas quanto nas encenações para a sua realização – assumem sistematicamente o papel de mulheres, e que, portanto, seu masoquismo coincide com uma posição *feminina*. Isso é facilmente demonstrado pelos detalhes da fantasia; muitos pacientes, no entanto, já o sabem ou o expressam como uma certeza subjetiva. Nada se altera se o embelezamento da cena masoquista se atém à ficção de um menino – um pajem ou um aprendiz – malcriado. Mas as pessoas que aplicam o castigo são sempre mulheres, tanto

146 OBRAS INCOMPLETAS DE S. FREUD

nas fantasias como nas encenações. Isso é bastante confuso; também gostaríamos de saber se o masoquismo da fantasia infantil de surra já se baseia nessa posição feminina.[i]

Por isso, deixemos de lado as proporções – de difícil explicação – do masoquismo dos adultos e voltemo-nos para as fantasias infantis de surra do sexo masculino. Nesse caso, a análise dos primeiros anos da infância nos permite novamente fazer uma descoberta surpreendente: a fantasia consciente ou suscetível de consciência de apanhar da mãe não é primária. Ela tem um estágio preliminar, que é sistematicamente [*regelmässig*] inconsciente, com o seguinte conteúdo: "*Sou surrada por meu pai*". Esse estágio preliminar corresponde realmente, portanto, à segunda fase da fantasia da menina. Já a fantasia conhecida e consciente: "Sou surrada pela minha mãe" encontra-se no lugar da terceira fase da menina, na qual, como foi mencionado, meninos desconhecidos são os objetos que apanham. Não consegui demonstrar no menino um estágio preliminar de natureza sádica comparável à primeira fase da menina, mas não quero aqui externar nenhuma desistência [*Ablehnung*] definitiva, pois vejo muito bem a possibilidade da existência de tipos mais complicados.

O fato de ser surrado relativo à fantasia masculina – como a chamarei de maneira breve, esperando não ser mal interpretado – é também um ser amado no sentido genital, que foi rebaixado através da regressão. Portanto, a fantasia masculina inconsciente não era originalmente: "Sou surrado por meu pai", como antes supusemos provisoriamente, mas, muito mais: *Sou amado por meu pai*. Ela foi transformada pelos processos conhecidos na fantasia consciente: *Sou surrado pela minha mãe*. A fantasia de surra dos meninos é, portanto,

---

[i] Cf. sobre isso "O problema econômico do masoquismo", 1924 [neste volume, na p. 287. (N.E.)].

passiva desde o início, nascida realmente da posição feminina diante do pai. Ela também se equipara com a posição feminina (a da menina) no complexo de Édipo. Só que o paralelismo entre ambas esperado por nós deve ser trocado por uma qualidade comum de outro tipo: *Em ambos os casos, a fantasia de surra deriva da ligação incestuosa com o pai.*

Penso que contribuirá para uma visão mais clara do conjunto se eu introduzir aqui as outras concordâncias e distinções entre as fantasias de surra de ambos os sexos. Na menina, a fantasia masoquista inconsciente parte da posição edípica normal; no menino, da invertida, que toma o pai como objeto de amor. Na menina, a fantasia possui uma fase prévia (a primeira fase), na qual o surrar aparece em seu significado indiferente e recai sobre uma pessoa odiada por ciúme; ambos os elementos faltam no menino, e exatamente essa diferença poderia ser removida por uma observação mais feliz. Na passagem para a substituída fantasia consciente, a menina retém a pessoa do pai e, dessa forma, o sexo da pessoa que bate; mas ela troca a pessoa que apanha e seu sexo, de maneira que no final um homem bate em crianças do sexo masculino; ao contrário, o menino troca a pessoa e o sexo daquele que *bate* ao substituir o pai pela mãe e mantém sua própria pessoa, de maneira que, ao final, aquele que bate e a pessoa que apanha são de sexos diferentes. Na menina, a situação originariamente masoquista (passiva) é transformada, pelo recalcamento, em sádica, cuja característica sexual está muito apagada; no menino, ela permanece masoquista e conserva — por causa da diferença sexual entre quem bate e quem apanha — mais semelhança com a fantasia originária de significado genital. O menino evita a homossexualidade através do recalcamento e do remodelamento da fantasia inconsciente; e o que é notável em sua posterior fantasia

148 OBRAS INCOMPLETAS DE S. FREUD

consciente é que ela tem como conteúdo uma posição feminina sem escolha homossexual de objeto. Ao contrário, pelo mesmo processo, a menina escapa da exigência da vida amorosa, fantasia-se como homem sem se tornar masculinamente ativa e agora só presencia, mais como espectadora, o ato que substitui o sexual.

Estamos autorizados a supor que não é muito o que muda com o recalcamento da fantasia originalmente inconsciente. Tudo o que para a consciência foi recalcado e substituído permanece conservado e eficaz no inconsciente. Não é o mesmo qué acontece com o efeito da regressão a uma fase anterior da organização sexual. Desta, podemos acreditar que ela também altera as condições no inconsciente, de modo que em ambos os sexos, na verdade, não se conservaria no inconsciente, após o recalcamento, a fantasia (passiva) de ser amado pelo pai, mas a masoquista, de ser surrado por ele. Também não faltam indícios de que o recalcamento só logrou o seu propósito de maneira muito incompleta. O menino – que queria fugir de uma escolha homossexual de objeto e não mudou seu sexo – se sente mulher em suas fantasias conscientes e dota as mulheres que batem de atributos e particularidades masculinas. A menina, que renunciou ao próprio sexo e que, de modo geral, executou um trabalho de recalcamento mais profundo, não se livra do pai, não se atreve por si mesma a bater e, como ela se tornou um menino, faz com que sejam principalmente meninos os que apanham.

Sei que não estão suficientemente esclarecidas as distinções aqui descritas, no que diz respeito à fantasia de surra em ambos os sexos. Entretanto, abstenho-me da tentativa de desembaraçar essas complicações, insistindo em sua dependência de outros fatores, porque eu mesmo não considero exaustivo o material da observação. No entanto, enquanto esse material está disponível, quero utilizá-lo para testar duas teorias que, apesar de se oporem entre si, tratam ambas da relação entre o recalcamento e o caráter sexual, cada uma com seu sentido, apresentando essa ligação como muito íntima. Adianto que sempre considerei essas teorias incorretas e equivocadas.

A primeira dessas teorias é anônima; ela me foi apresentada há muitos anos por um colega,[15] com quem, na época, eu mantinha amizade. Sua generosa simplicidade é tão sedutora que só podemos nos perguntar, espantados, por que, desde então, só a encontramos representada na Literatura em algumas alusões esparsas. Ela se apoia na constituição bissexual dos seres humanos e afirma que, em cada um deles, o motivo do recalcamento seria a luta entre os dois caracteres sexuais. O sexo dominante [das Geschlecht] na pessoa, aquele que foi mais fortemente desenvolvido, teria recalcado no inconsciente a representação psíquica do sexo subjugado. O núcleo do inconsciente – o recalcado – seria, portanto, em cada ser humano, aquele do sexo oposto nele presente. No entanto, isso só pode oferecer um sentido palpável se deixarmos que se determine o sexo de um ser humano pela forma dos seus genitais, do contrário não se saberia ao certo qual o sexo mais forte de um ser humano, e correríamos o risco de voltar a obter como resultado da investigação aquilo mesmo que deveria servir como ponto de apoio. Resumidamente: no homem o que há de recalcado inconsciente pode remontar a moções pulsionais femininas, ocorrendo o inverso na mulher.

A segunda teoria é de origem mais recente; ela condiz com a primeira, porque também considera a luta entre os sexos decisiva para o recalcamento. No restante, ela teve de se opor à primeira; além disso, ela não faz uso de apoios biológicos, mas sociológicos. Essa teoria do "protesto masculino", formulada por Alfred Adler, tem como conteúdo que todo indivíduo resiste a permanecer na inferior "linha feminina" e se esforça para a única linha satisfatória, a masculina. A partir desse protesto masculino, Adler explica, de um modo geral, a formação do caráter e da neurose. Infelizmente, os dois processos – que certamente deveriam ser mantidos separados – são tão pouco diferenciados por Adler e o fato do recalcamento é tão pouco valorizado que nos expomos ao perigo do mal-entendido se tentarmos aplicar a doutrina do protesto masculino ao recalcamento. Penso que, em todos os casos, essa tentativa teria como resultado que o protesto masculino, o querer separar-se da linha feminina, é o motivo do recalcamento. Portanto, o recalcante [das Verdrängende] seria sempre uma moção pulsional masculina, e o recalcado, uma feminina. Mas o sintoma também seria resultado de uma moção feminina, pois não podemos deixar de lado o fato de o sintoma ser um substituto do recalcado que se afirmou apesar do recalcamento.

Testemos agora as duas teorias – das quais podemos dizer que compartilham a noção de sexualização do processo de recalcamento – no exemplo da fantasia de surra aqui estudada. A fantasia originária: Sou surrado por meu pai corresponde, no menino, a uma posição feminina e é, portanto, uma expressão de sua disposição ao sexo oposto. Se esta se submete ao recalcamento, parece estar correta a primeira teoria, que formulou a regra de que o sexo oposto coincide com o recalcado. É claro que isso vai corresponder pouco às nossas expectativas, no momento em que a fantasia consciente – que se apresenta depois do recalcamento – exibir novamente a posição feminina, desta vez direcionada à mãe. Mas não queremos começar pela dúvida quando a decisão está tão próxima. A fantasia originária da menina: Sou surrada

NEUROSE, PSICOSE, PERVERSÃO 151

por meu pai (isto é, sou amada) corresponde, sem dúvida, como posição feminina, ao sexo manifesto nela predominante e, portanto, de acordo com a teoria, devia se subtrair ao recalcamento e não precisaria se tornar inconsciente. No entanto, ela se torna inconsciente e sofre uma substituição por uma fantasia consciente que recusa [*verleugnet*] o caráter sexual manifesto. Então, essa teoria não serve para a compreensão das fantasias de surra e é refutada por elas. É possível que se objetasse que precisamente em meninos femininos e meninas masculinas essas fantasias de surra se apresentam e sofrem esses destinos, ou que um traço de feminilidade no menino e de masculinidade na menina seria o responsável pelo aparecimento da fantasia passiva no menino e pelo seu recalcamento na menina. É provável que concordássemos com essa concepção, mas nem por isso seriam menos insustentáveis tanto a afirmada ligação entre caráter sexual manifesto quanto a escolha do que está destinado ao recalcamento. No fundo, o que vemos é apenas que nos indivíduos masculinos e femininos estão presentes moções pulsionais masculinas e femininas e que, da mesma forma, podem se tornar inconscientes através do recalcamento.

Muito melhor parece se afirmar a teoria do protesto masculino na prova das fantasias de surra. Tanto no menino quanto na menina a fantasia de surra corresponde a uma posição feminina, vale dizer, a uma permanência na linha feminina, e ambos os sexos se apressam a se libertar dessa posição através do recalcamento. Ainda que pareça que o protesto masculino só alcança êxito completo na menina, temos, nesse caso, um exemplo francamente ideal da ação do protesto masculino. No menino, o êxito não é totalmente satisfatório, a linha feminina não é abandonada, e o menino certamente não está "por cima" em sua fantasia masoquista consciente. Portanto, será adequado à expectativa derivada da teoria, se reconhecermos nessa fantasia um sintoma que nasceu do fracasso do protesto masculino. É claro que nos incomoda o fato de a fantasia surgida na menina depois do recalcamento ter igualmente o valor e o significado de um sintoma. É que aqui, onde o protesto masculino conseguiu atingir plenamente o seu propósito, deveria justamente faltar a condição para a formação do sintoma.

Antes que, por causa dessa dificuldade, suspeitemos que o enfoque todo do protesto masculino seja inadequado para os problemas das neuroses e perversões, além de infecundo em sua aplicação a elas, iremos retirar nossa atenção das fantasias passivas de surra e dirigi-la para outras manifestações pulsionais da vida sexual da criança, que igualmente sucumbem ao recalcamento. Ninguém pode duvidar que existam também desejos e fantasias que, de antemão, mantêm a linha masculina e expressam moções pulsionais masculinas, por exemplo, impulsos sádicos ou desejos do menino em relação à sua mãe, que se originam do complexo de Édipo normal. Também não há dúvida de que esses também serão afetados pelo recalcamento; se o protesto masculino conseguiu explicar bem o recalcamento das fantasias passivas e posteriormente masoquistas, é por esse motivo então que ele será totalmente desnecessário para o caso oposto das fantasias ativas. Ou seja: a doutrina do protesto masculino é absolutamente incompatível com o fato do recalcamento. Só quem esteja preparado para jogar fora todas as aquisições psicológicas desde o primeiro tratamento catártico de Breuer e através dele pode esperar que o princípio do protesto masculino ganhe algum significado no esclarecimento das neuroses e perversões.

A teoria psicanalítica, apoiada na observação, sustenta firmemente que os motivos do recalcamento não podem ser sexualizados. O núcleo do inconsciente psíquico é configurado pela herança arcaica do homem, e tudo o que dela deve ser abandonado no progresso para fases posteriores, seja porque não serve, seja porque é incompatível com o que é novo ou prejudicial, sucumbe ao processo de recalcamento. Essa seleção tem mais êxito em um grupo de pulsões do que no outro. Estas últimas, as pulsões sexuais – por causa de situações especiais que já foram assinaladas várias vezes –, são capazes de fazer fracassar o propósito do recalcamento e de forçar sua representação através de formações substitutivas de natureza perturbadora. Por isso, a sexualidade infantil submetida ao recalcamento é a força pulsional mais importante da formação de sintoma, ao passo que a parte essencial de seu conteúdo, o complexo de Édipo, é o complexo nuclear da neurose. Espero, com este ensaio, ter despertado a expectativa de que também as aberrações sexuais infantis, assim como as da maturidade, derivam do mesmo complexo.

154 OBRAS INCOMPLETAS DE S. FREUD

"Ein Kind wird geschlagen": Beitrag zur Kenntnis der Entstehung sexueller Perversionen (1919)

1919   Primeira publicação: *Internationale Zeitschrift für Psychoanalyse*, t. 5, n. 3, p. 151-172

1924   *Gesammelte Schriften*, t. V, p. 344-375

1947   *Gesammelte Werke*, t. XII, p. 197-226

O título deste trabalho pode ser traduzido de diferentes formas. A primeira opção encontrada pela tradutora deste volume para traduzir *"Ein Kind wird geschlagen"* tinha sido "Estão batendo em uma criança". De fato, seria uma das soluções mais adequadas do ponto de vista semântico e dos usos correntes da língua portuguesa falada no Brasil. Entretanto, como Freud recorre a aspectos estruturais da língua e da sintaxe para esclarecer suas proposições, a presente edição adotou a versão mais próxima da sintaxe original, construída pela voz passiva no presente. Nesse sentido, idealmente, traduziríamos por "uma criança é batida/espancada". Contudo, se por um lado "espancada" pode trair um grau de violência mais intenso que "bater", por outro seria estranho dizer que uma criança seja *"batida* por alguém". Por isso, a solução "bate-se numa criança" acabou se impondo.

Este texto pode ser lido na esteira dos desenvolvimentos da teoria da perversão, formulada pela primeira vez de forma sistemática no célebre *Três ensaios sobre a teoria sexual* (1905). Em janeiro de 1919, Freud anunciou a Ferenczi que trataria da "gênese do masoquismo". O artigo foi concluído em março. Sua redação é, portanto, aproximadamente contemporânea dos esboços de "Além do princípio de prazer" e da retomada do artigo sobre o *Unheimliche*, que havia sido interrompida havia algum tempo.

Trata-se de uma contribuição maior sobre a estrutura da fantasia e sobre o estatuto das perversões. A discussão interessa não apenas para a clínica das perversões, mas também para a clínica da neurose – ao esclarecer, "em negativo", o funcionamento da fantasia perversa do neurótico – e da paranoia – ao sugerir que a fantasia em pauta estaria na base do delírio querelante do paranoico. Ao reafirmar a gênese alteritária da fantasia, Jean Laplanche nota que "Bate-se uma criança" é um dos textos de Freud em que a origem da fantasia na criança está mais bem articulada ao efeito de enigma que algumas mensagens e/ou ações do adulto, comprometidas pela sexualidade inconsciente, produzem na criança.

Um detalhe curioso: Freud anuncia que iria descrever alguns elementos de seis casos clínicos, mas, na verdade, apresenta apenas cinco. Na biografia que consagrou a Anna Freud, Elisabeth Young-Bruehl especula que o sexto caso clínico mencionado por Freud neste texto seria o da própria Anna Freud, que iniciara seu tratamento analítico com o pai cerca de um ano antes. Sabe-se da importância dessas fantasias de fustigação para Anna Freud, que estreou no mundo psicanalítico com seu estudo sobre a fantasia de apanhar e o sonho diurno (*"Schlagephantasie" und Tragtraum*).

LAPLANCHE, J. La Position originaire du masochisme dans le champ de la pulsion sexuelle. In: *La Révolution coperniciènne inachevée*. Paris: Aubier, 1992 • YOUNG-BRUEHL, E. *Anna Freud*, Paris: Payot, 1991.

NOTAS

[1] *Schuldbewußtsein* – num sentido mais literal, "consciência de culpa". Entretanto, num uso mais coloquial e frequente, refere-se ao "sentimento [consciente] de culpa". Este parece ser o sentido no reiterado uso que Freud faz do vocábulo composto neste texto, sobretudo na seção IV. (N.R.)

[2] Tradução consagrada do título do livro *Uncle Tom's Cabin*, da escritora estadunidense Harriet Beecher Stowe, em que retrata a brutalidade dos senhores de escravos contra os cativos. (N.R.)

[3] A palavra tem aqui a clara conotação de "gênero". (N.R.)

[4] O substantivo *Verdrängung* é traduzido nesta coleção por "recalque", quando se trata de um estado, ou "recalcamento", quando a ênfase recai sobre o processo de recalcar (*verdrängen*). (N.R.)

[5] Ver S. Freud (1913): "A disposição para a neurose obsessiva. Uma contribuição ao problema da escolha da neurose". (N.T.)

[6] Literalmente o adjetivo significa "destruidor de vida". (N.R.)

[7] Trata-se, certamente, do tema da castração, que aqui não é aqui mencionado por Freud. (N.T.)

[8] Alusão à peça *Macbeth*, de William Shakespeare, ato 1 cena 3. (N.R.)

[9] Este parágrafo só se torna inteligível a partir do que foi elaborado por Freud entre 1923 e 1926. Encontramos em "O declínio do complexo de Édipo" (1924) a resposta dada por ele mesmo à sua confessada ignorância de 1919: o valor da castração para a entrada das meninas no Édipo e para a saída dos meninos [neste volume]. (N.T.)

[10] Forma como Freud se referia aos *devaneios* ou ao *fantasiar consciente* (*das Phantasieren*). (N.R.)

156 OBRAS INCOMPLETAS DE S. FREUD

[11] Johan van Ophuijsen, um dos fundadores da Sociedade Psicanalítica holandesa, propôs a expressão "complexo de masculinidade", em um artigo intitulado "Contribuição ao complexo de masculinidade na mulher" (publicado no *International Journal of Psychoanalysis*, n. 5, p. 39-49, 1924). (N.E.)

[12] Volume disponível nesta coleção, publicado em formato bilíngue em 2013. (N.R.)

[13] Freud considerava que o "fenômeno funcional", introduzido por Herbert Silberer em 1909, foi um dos raros acréscimos feitos à sua própria teoria dos sonhos. Segundo o autor, no estado entre a vigília e o sono, ocorreria uma espécie de transposição direta de pensamentos em imagens, não do conteúdo dos pensamentos, mas de seu modo de funcionamento atual, relativos ao estado do indivíduo (cansaço, por exemplo). (N.E.)

[14] Paul Eugen Bleuler (1857-1939) foi um psiquiatra suíço que se destacou por suas contribuições para o entendimento da esquizofrenia, tendo introduzido o conceito de "ambivalência". Interessou-se pela Psicanálise freudiana e chegou a ser preceptor de Jung. (N.E.)

[15] Clara referência a Wilhelm Fließ. (N.R.)

SOBRE A PSICOGÊNESE DE UM CASO DE HOMOSSEXUALIDADE FEMININA (1920)

I

A homossexualidade feminina, certamente não menos frequente que a masculina, embora seja muito menos ruidosa que esta, não apenas tem sido ignorada pela lei penal [*Strafgesetzt*], mas foi também negligenciada pela investigação psicanalítica. É por isso que a comunicação de um único caso, não muito flagrante, pode reivindicar certa consideração, no sentido de ter sido possível determinar a história de sua gênese psíquica quase sem lacunas e com plena certeza. Se esta exposição traz apenas os contornos mais gerais dos acontecimentos e dos entendimentos obtidos no caso, omitindo todos os detalhes característicos sobre os quais se funda a interpretação, essa limitação pode ser facilmente explicada pela necessária discrição médica exigida em um caso recente como esse.

Uma jovem de 18 anos, bonita e inteligente, de uma família de elevada posição social, desperta o desgosto e a preocupação de seus pais pelo carinho com o qual ela persegue uma dama "da sociedade", cerca de 10 anos mais velha que ela. Os pais afirmam que essa dama, apesar de seu proeminente sobrenome, não passa de uma cocota. O que se sabe sobre ela é que vive com uma amiga casada, com a qual mantém relações íntimas, ao mesmo tempo que se envolve em relações amorosas levianas com um

158 OBRAS INCOMPLETAS DE S. FREUD

certo número de homens. A jovem não desmente essa má reputação, mas não se deixa confundir por ela em sua adoração pela dama, apesar de não lhe faltar o sentido da conveniência e do decoro. Nenhuma proibição e nenhuma vigilância a impedem de aproveitar as raras ocasiões de se encontrar com a amada, de descobrir todos os seus hábitos, de esperar por ela, horas a fio, na porta de sua casa ou nas paradas de bonde, de lhe enviar flores, etc. É evidente que esse único interesse da jovem havia devorado todos os outros. Ela não se preocupa em continuar a sua formação, não dá mais importância às relações sociais e aos prazeres próprios às jovens e só conserva a ligação com algumas amigas que lhe possam servir como confidentes ou auxiliares. Os pais não sabem até que ponto haviam chegado as coisas entre a sua filha e aquela dama duvidosa, e se os limites de um entusiasmo carinhoso já haviam sido ultrapassados. Nunca notaram na jovem qualquer interesse por homens jovens nem prazer por seus galanteios; por outro lado, estava claro para eles que essa inclinação atual por uma mulher era apenas a continuação intensificada do que se anunciou nos últimos anos quanto a outras pessoas do sexo feminino, o que provocou a suspeita e a inclemência do pai.

Dois aspectos de sua conduta, aparentemente em oposição, deixaram os pais mais aborrecidos: ela não tinha nenhum escrúpulo em se exibir publicamente com a amada de fama duvidosa nas ruas mais frequentadas, desconsiderando, portanto, sua própria honra, e não menosprezava nenhum meio de enganar, nenhum subterfúgio e nenhuma mentira, para encobrir e tornar possíveis os encontros com ela. Portanto, muita sinceridade, por um lado, e completa dissimulação, por outro. Certo dia acabou ocorrendo o que, de fato, nessas circunstâncias teria de acontecer, o pai encontrou pela rua sua filha em companhia daquela dama de quem já havia tomado conhecimento. Ele passou por elas com um olhar furioso que não anunciava nada de bom. Imediatamente a jovem correu e jogou-se por cima do muro em direção à linha de trem urbano que passava ali perto. Ela pagou por essa tentativa de suicídio indubitavelmente séria com uma longa convalescença, mas, por sorte, sem lesões permanentes. Depois de sua recuperação, descobriu que a situação estava mais favorável para os seus desejos do que antes. Os pais não mais ousavam contrariá-la com tanta determinação, e a dama, que até então havia se mostrado inacessível, não aceitando suas investidas, ficou tocada com uma prova tão inequívoca de séria paixão e passou a tratá-la mais amigavelmente.

Cerca de meio ano após esse acidente, os pais se dirigiram ao médico e lhe confiaram a tarefa de reconduzir sua filha à normalidade. A tentativa de suicídio da jovem lhes tinha mostrado claramente que os instrumentos de autoridade da disciplina caseira não foram capazes de dominar tal perturbação. Mas é bom tratar aqui separadamente a atitude do pai e a da mãe. O pai era um homem sério, respeitável e, no fundo, muito terno, um tanto distanciado dos filhos por sua assumida rigidez. Sua conduta para com a única filha era fortemente influenciada por sua esposa, a mãe da moça. Quando ele primeiro tomou conhecimento das inclinações homossexuais da filha, isso o enfureceu, e quis reprimi-las com ameaças; na ocasião, ele deve ter oscilado entre diversas, mas igualmente penosas concepções possíveis: se devia ver nela um ser vicioso, degenerado ou mentalmente perturbado. Mesmo depois do acidente, ele não conseguiu levar a questão à altura de uma resignação racional, sobre a qual um dos nossos colegas médicos, por causa de um deslize de alguma forma parecido em sua família, expressou-se da seguinte maneira: "é uma infelicidade como qualquer outra!". A homossexualidade de sua filha tinha algo que despertava a sua completa amargura. Ele estava decidido a combatê-la com todos os meios; não se deteve diante do tão amplamente difundido menosprezo geral pela Psicanálise em Viena e se voltou a ela em busca de auxílio. Se essa via fracassasse, ele ainda teria na reserva o mais poderoso antídoto: um rápido casamento poderia despertar os instintos naturais da jovem e sufocar suas inclinações não naturais.

A atitude da mãe da jovem não foi tão fácil de visualizar. Era uma mulher ainda jovem, que claramente não queria renunciar à pretensão de agradar por sua própria beleza. O que estava claro é que não tomava o entusiasmo de sua filha tão tragicamente e de maneira alguma se indignava com ela como o pai. Durante algum tempo, ela até mesmo havia usufruído da confiança da jovem com relação ao enamoramento por aquela dama; parece que basicamente tomou o *partido contrário* por causa da prejudicial franqueza com a qual a filha proclamava seus sentimentos diante do mundo inteiro. Ela própria havia sido neurótica durante vários anos, deleitava-se com a grande atenção por parte do marido, tratava suas crianças de maneira bastante desigual, sendo, na verdade, dura com a filha e demasiado carinhosa com seus três filhos, dos quais o mais novo era temporão e na ocasião ainda não tinha 3 anos de idade. Não foi fácil apurar algo mais preciso sobre seu caráter, pois, em consequência de motivos que só mais tarde serão compreendidos, as indicações da paciente sobre sua mãe sempre continham uma reserva, que, no caso do pai, não se mantinha.

O médico que fosse assumir o tratamento analítico da jovem tinha várias razões para se sentir desconfortável.

Ele não tinha diante de si a situação que a análise exige e a única na qual ela pode demonstrar sua eficácia. Essa situação, em sua configuração ideal, como se sabe, apresenta o seguinte aspecto: alguém, que normalmente é senhor de si, sofre de um conflito interior, ao qual sozinho não consegue colocar um fim; então vai ao analista, formula sua queixa e lhe pede auxílio. O médico trabalha então de mãos dadas com a parte da personalidade bipartida pela doença, contra a outra parte do conflito. Outras situações diferentes dessas são mais ou menos desfavoráveis para a análise e acrescentam novas dificuldades àquelas que são internas ao caso. As situações – como a do cliente que encomenda ao arquiteto a planta de uma mansão de acordo com seu gosto e sua necessidade, ou a de um devoto doador que pede ao artista para pintar uma imagem sagrada, em cujo canto deve ter lugar seu próprio retrato em posição de adorador – não são, fundamentalmente, compatíveis com as condições da Psicanálise. Na verdade, todo dia acontece de um marido se voltar para o médico com a seguinte informação: "Minha mulher sofre dos nervos e por isso se dá mal comigo; cure-a, para que possamos ter novamente uma vida conjugal feliz". Porém, fica claro, com bastante frequência, que cumprir uma incumbência como essa é impossível, isto é, que o médico não pode apresentar o resultado com vistas ao qual o marido desejava o tratamento. Assim que a mulher se livra de suas inibições neuróticas, ela impõe o fim do casamento, cuja conservação só era possível sob a premissa da neurose dela. Ou os pais que exigem que se cure seu filho nervoso e desobediente. Para eles, uma criança saudável é aquela que não traz nenhuma dificuldade para os pais e lhes dá apenas alegria. O médico pode até conseguir o restabelecimento da criança, mas, depois da cura, ela toma seu

162 OBRAS INCOMPLETAS DE S. FREUD

próprio caminho muito mais decididamente, e os pais ficam então muito mais insatisfeitos do que antes. Em resumo, não é indiferente se alguém vem para a análise por seu próprio esforço ou porque outros o levam; se ele próprio deseja sua mudança ou apenas seus parentes que o amam, ou aqueles dos quais se deveria esperar esse amor. Outros fatores desfavoráveis a serem avaliados eram os fatos de que a jovem nem era doente – ela não sofria por razões internas, não reclamava sobre seu estado – e de que a tarefa solicitada não era a de solucionar um conflito, mas a de converter uma variante da organização sexual para outra. Essa operação de remover a inversão genital ou homossexualidade nunca pareceu fácil segundo a minha experiência. Achei muito mais que ela só é bem-sucedida sob circunstâncias particularmente favoráveis, e mesmo assim o êxito consiste essencialmente em liberar a via – até então interditada à pessoa estritamente homossexual – para o outro sexo, portanto, em restabelecer sua plena função bissexual. Dependia, então, de saber se preferia essa outra via proscrita pela sociedade, e em alguns casos foi o que se deu. É preciso pensar que também a sexualidade normal depende de uma limitação da escolha de objeto, e que, em geral, empreender a mudança de um homossexual declarado [vollentwickelten] em um heterossexual não é mais promissor do que o inverso [umgekehrte], exceto que, por boas razões práticas, este último caso nunca é tentado.

Os êxitos da terapia psicanalítica no tratamento da homossexualidade, que, aliás, apresenta muitas formas, não são, de acordo com os números, realmente excepcionais. Via de regra, o homossexual não pode abandonar seu objeto de prazer; não é possível convencê-lo de que o prazer ao qual ele aqui renuncia seria reencontrado em outro objeto, no caso da mudança. Se acaso se submete ao tratamento é porque, em geral, motivos externos o pressionaram: as desvantagens sociais e os perigos de sua escolha de objeto; e esses componentes da pulsão de autoconservação demonstram ser muito fracos na luta contra as aspirações sexuais. Então, logo descobrimos seu plano secreto: conseguir, através do flagrante fracasso dessa tentativa, a tranquilização por ter feito todo o possível contra a sua condição especial [Sonderartung] e agora poder entregar-se a ela de consciência limpa. Quando a consideração pelos pais e parentes amados motivou a tentativa de cura, o caso é algo diferente. Há, então, aspirações realmente libidinais que podem desenvolver energias opostas à escolha homossexual de objeto, mas cuja força raramente é suficiente. Só quando a fixação no objeto de mesmo sexo ainda não se tornou suficientemente forte ou quando preexistem rudimentos e restos da escolha heterossexual de objeto, portanto, em caso de haver uma organização ainda oscilante ou claramente bissexual, é que o prognóstico da terapia psicanalítica pode apresentar-se mais favorável.

Por essas razões, evitei completamente oferecer aos pais a perspectiva da realização do seu desejo. Apenas me declarei preparado para estudar cuidadosamente a jovem durante algumas semanas ou meses, para então poder me manifestar sobre as probabilidades de influenciá-la com a continuação da análise. De fato, em um grande número de casos, a análise se decompõe em duas fases claramente distintas: em uma primeira, o médico consegue do paciente os conhecimentos necessários, familiariza-o com as premissas e os postulados da análise e desenvolve diante dele a construção da origem do seu sofrimento, para a qual se acredita autorizado a partir do material oferecido pela análise. Em uma segunda fase, é o próprio paciente que se apossa do material que lhe foi exposto, trabalha nele, recorda o que consegue daquilo que nele está aparentemente recalcado e tenta repetir o material restante, de certa forma revivendo-o. Com isso, ele pode confirmar, completar e corrigir as formulações do médico. É só durante esse trabalho que ele experimenta a alteração interna pela almejada superação de resistências e adquire as convicções que o tornam independente da autoridade médica. Nem sempre essas duas fases estão nitidamente separadas no curso do tratamento analítico; isso só pode acontecer se a resistência cumprir certas condições. Mas quando é o caso, podemos traçar a comparação com duas correspondentes etapas de uma viagem. A primeira compreende todos os preparativos necessários e hoje tão complicados e difíceis de cumprir, até que finalmente se compra a passagem, chega-se à plataforma e se garante um lugar no vagão. Agora se tem o direito e a possibilidade de viajar para um país distante, mas após todos esses preparativos ainda não se está lá nem se avançou nenhum quilômetro em direção à meta. Para isso, ainda é preciso que se cumpra a própria viagem, de uma estação à outra, e essa parte da viagem pode bem ser comparada à segunda fase.

A análise de minha paciente em questão se desenrolou de acordo com esse esquema de duas fases, mas não continuou depois do início da segunda fase. Mesmo assim, uma constelação particular da resistência possibilitou a plena confirmação de minhas construções e o ganho de um entendimento [*Einsicht*] geral e suficiente quanto ao curso do desenvolvimento da sua inversão. Mas antes de expor os resultados de sua análise, preciso resolver alguns pontos que eu mesmo já abordei ou que se impuseram ao leitor como os primeiros objetos de seu interesse.

Eu tinha feito o prognóstico depender, em parte, do ponto até onde a jovem tinha chegado na satisfação de sua paixão. A informação que obtive na análise pareceu favorável a esse respeito. De nenhum dos objetos de sua adoração ela havia usufruído mais do que alguns beijos e abraços; sua castidade genital, se podemos dizê-lo assim, permaneceu intacta. Quanto à dama mal-afamada, que despertou nela os mais novos e, de longe, os mais intensos sentimentos, tinha permanecido inacessível a ela e nunca lhe concedera um favor maior que lhe beijar a mão. Provavelmente a jovem fez da sua necessidade uma virtude quando repetidamente acentuava a pureza do seu amor e sua repulsa física contra uma relação sexual. Mas talvez ela não estivesse de todo errada quando proclamava, sobre sua admirada amada, que esta, por ser de origem nobre e forçada à presente posição apenas por circunstâncias familiares adversas, também nessa situação teria conservado boa parte de sua dignidade. Pois essa dama costumava aconselhá-la, em cada encontro, para que desistisse inteiramente de sua inclinação por ela e pelas mulheres em geral e, até a tentativa de suicídio, sempre só a havia estritamente ignorado.

Um segundo ponto, que tentei esclarecer em seguida, dizia respeito aos próprios motivos da jovem, sobre os quais talvez o tratamento analítico pudesse se apoiar. Ela não tentou me enganar com a afirmação de que para ela havia uma necessidade urgente de se libertar de sua homossexualidade. Ao contrário, ela não conseguia imaginar outra espécie de enamoramento, mas acrescentou que, por causa dos pais, ela queria colaborar sinceramente com a tentativa terapêutica, pois era difícil para ela causar-lhes tamanha preocupação. Também precisei tomar essa manifestação inicialmente como favorável; eu não conseguia vislumbrar qual posição afetiva inconsciente estava por trás dela. O que mais tarde veio à luz sobre esse ponto influenciou a configuração do tratamento e sua interrupção prematura.

Os leitores não analíticos devem estar há muito tempo aguardando, impacientes, a resposta a duas outras perguntas. Essa jovem homossexual apresentava nítidas características somáticas do outro sexo? E seu caso foi comprovado como homossexualidade inata ou adquirida (desenvolvida posteriormente)?

Não desconheço a importância que tem a primeira dessas perguntas. Só que não se deve exagerar essa importância e, em seu nome, obscurecer os fatos de que atributos secundários isolados do outro sexo aparecem geralmente com muita frequência em seres humanos normais e que características somáticas bem acentuadas do outro sexo podem ser encontradas em pessoas cuja escolha de objeto não tenha sofrido nenhuma alteração no sentido de uma inversão. Dito de outra forma, nos dois sexos *a medida do hermafroditismo físico é em alto grau independente da do psíquico.* Como restrição a ambos os enunciados acrescentamos que essa independência é mais evidente no homem do que na mulher, em que a compleição corporal e a psíquica do caráter sexual oposto coincidem mais regularmente. Entretanto, não me encontro em posição de responder satisfatoriamente a primeira das perguntas apresentadas sobre o meu caso. Em determinadas ocasiões o psicanalista deve se recusar a fazer um exame corporal detalhado de seus pacientes. De qualquer maneira, não havia nenhum desvio chamativo no tipo corporal do sexo feminino, e também nenhum distúrbio menstrual. Se a jovem bonita e bem-formada exibia a figura esguia do pai e no rosto traços mais marcados do que suaves, próprios das meninas, então talvez se possa ver aí indícios de uma masculinidade somática. Também algumas de suas qualidades intelectuais podiam ser atribuídas a um ser masculino, tais como sua aguda racionalidade e a fria clareza de seu pensamento quando não estava dominada por sua paixão. Mas essas distinções são mais convencionais do que científicas. Mais importante, certamente, é o fato de sua conduta com relação ao objeto amoroso ter assumido inteiramente o tipo masculino, isto é, a humildade e a enorme supervalorização sexual do amante masculino, a renúncia a qualquer satisfação narcísica, a preferência por amar antes de ser amado. Portanto, ela não tinha apenas eleito um objeto feminino, mas adotado uma posição masculina para com ele.

A segunda pergunta, se seu caso correspondia a uma homossexualidade inata ou adquirida, vai ser respondida ao longo da história do desenvolvimento de sua perturbação. Aí veremos o quanto esse tipo de questionamento é infecundo e inadequado.

II

Após uma introdução tão prolixa, só posso prosseguir com uma exposição sucinta e panorâmica da história libidinal desse caso. Na infância, a jovem passou, de maneira pouco chamativa, pela posição normal do complexo de Édipo feminino,[i] e também posteriormente começou a substituir o pai por um irmão um pouco mais velho. Traumas sexuais na juventude não foram lembrados nem descobertos pela análise. A comparação dos genitais do irmão com os seus, que ocorreu no início do período de latência (aos 5 anos ou pouco antes), deixou–lhe uma forte impressão, e foi possível rastrear seus efeitos por um bom tempo. Sobre o onanismo na primeira infância houve

---

[i] Não vejo nenhum progresso ou vantagem em introduzir a expressão "complexo de Elektra" e não gostaria de promover o seu uso.

poucos indícios ou a análise não avançou o suficiente para esclarecer esse ponto. O nascimento de um segundo irmão, quando ela tinha entre 5 e 6 anos, não exerceu nenhuma influência especial sobre seu desenvolvimento. Nos anos escolares e da pré-puberdade, ela se familiarizou pouco a pouco com os fatos da vida sexual e os acolheu com uma mescla de volúpia e temerosa recusa, que se pode chamar de normal e sem exagero. Todas essas informações parecem ser bem escassas, e nem sequer posso garantir que estejam completas. Pode ser que a história da juventude tenha sido muito mais rica; eu não sei. Como já disse, a análise se interrompeu depois de pouco tempo e por isso produziu uma anamnese não muito mais confiável que as outras anamneses de homossexuais que, com razão, foram questionadas. A jovem também nunca tinha sido neurótica e nem sequer trouxe um sintoma histérico para a análise, de maneira que as oportunidades para investigar sua história infantil não puderam se apresentar tão prontamente.

Com 13 e 14 anos, ela manifestou uma carinhosa predileção – exageradamente forte, na opinião de todos – por um garotinho de quase 3 anos, que ela podia ver regularmente em um parque infantil. Apegou-se à criança tão calorosamente que daí nasceu uma longa relação amistosa com os pais do pequenino. Desse acontecimento é possível concluir que, na época, ela foi dominada por um forte desejo de ser mãe e de ter um filho. Mas, pouco tempo depois, o garoto passou a lhe ser indiferente, e ela começou a mostrar um interesse por mulheres maduras, mas ainda jovens, interesse cujas manifestações logo lhe renderam um doloroso castigo por parte do pai.

Ficou estabelecido, acima de qualquer dúvida, que essa mudança coincidiu com um acontecimento na família, a partir do qual podemos esperar o esclarecimento da mudança. Antes, sua libido estava focada na maternidade, e depois ela se tornou uma homossexual apaixonada por mulheres maduras, o que seguiu sendo desde então. O acontecimento tão importante para a nossa compreensão foi uma nova gravidez da mãe e o nascimento de um terceiro irmão, quando ela tinha 16 anos.

A trama que revelarei em seguida não é um produto dos meus dons para concatenações; ela me foi sugerida por um material analítico tão digno de confiança que posso reivindicar para ele uma segurança objetiva. Uma série de sonhos interligados e de fácil interpretação foi particularmente decisiva para tal.

A análise permitiu confirmar, sem sombra de dúvidas, que a dama amada era um substituto da – mãe. Mas a dama não era mãe nem tinha sido o primeiro amor da jovem. Os primeiros objetos de sua preferência, desde o nascimento do último irmão, foram realmente mães, mulheres entre 30 e 35 anos, cujos filhos ela conheceu nas férias de verão ou no círculo familiar da cidade. A condição para a maternidade foi mais tarde abandonada, porque, na realidade, não se conciliava bem com outra que foi se tornando cada vez mais importante. A ligação particularmente intensa com a última amada, a "dama", tinha mais uma razão de ser, que a jovem descobriu certo dia com facilidade. A silhueta esbelta, a beleza severa e a natureza rude da dama faziam-na lembrar-se de seu próprio irmão, um pouco mais velho. Assim, o objeto escolhido por último não correspondia apenas ao seu ideal de mulher, mas também ao seu ideal de homem, e reunia a satisfação da orientação do desejo homossexual e a do heterossexual. Como se sabe, a análise de homossexuais masculinos mostrou a mesma coincidência em numerosos casos, um sinal para que não concebamos a natureza e a origem da inversão de maneira demasiado simplista e não percamos de vista a bissexualidade geral do ser humano.[i]

Mas como podemos entender que, justamente por causa do nascimento tardio de uma criança – quando a jovem já estava madura e tinha os próprios desejos intensos –, foi levada a orientar sua ternura apaixonada à mulher que deu à luz essa criança, sua própria mãe, e a expressá-la em um substituto da mãe? A partir de tudo o que sabemos, devíamos esperar o contrário. Nessas situações, as mães costumam se acanhar diante das filhas quase em idade de casamento; as filhas têm pela mãe um sentimento misto de pena, desprezo e inveja que em nada contribui para aumentar a ternura pela mãe. A jovem que observamos tinha bem poucos motivos para sentir carinho por sua mãe. Essa filha, que desabrochou rapidamente, era uma incômoda concorrente para a mãe ainda jovem, que a preteriu em relação aos irmãos, limitou ao máximo a sua autonomia e a vigiou com entusiasmo, para que permanecesse longe do pai. Portanto, a necessidade de ter uma mãe mais amorosa deve ter sido mais que justificável na jovem; no entanto, a razão pela qual ela se inflamou naquele momento, e na forma de uma paixão ardente, é difícil de entender.

A explicação é a seguinte: a jovem se encontrava na puberdade, na fase de renovação do complexo de Édipo infantil, quando a decepção se abateu sobre ela. Ficou claramente consciente para ela o desejo de ter um filho, na verdade um filho homem; sua consciência não podia saber que era um filho do pai e que deveria ser a

---

[i] Cf. I. Sadger: Jahresbericht über sexuelle Perversion. *Jahrbuch der Psychoanalyse*, VI, 1914 e a. a. O.

imagem dele. Mas daí sucedeu o fato de não ter sido ela a gerar o filho, mas a concorrente odiada no inconsciente, a mãe. Furiosa e amargurada, afastou-se absolutamente do pai e dos homens em geral. Depois desse primeiro fracasso, rejeitou sua feminilidade e procurou outra colocação para a sua libido.

Assim, comportou-se de maneira bem semelhante à de muitos homens que, após uma primeira experiência desagradável, rompem, para sempre, com o infiel sexo das mulheres e se tornam misóginos. Conta-se, sobre uma das personalidades principescas mais atraentes e mais infelizes de nossa época, que ele se tornou homossexual porque sua noiva o traiu com um estranho. Não sei se essa é uma verdade histórica, mas atrás desse boato se esconde uma verdade psicológica. A libido de todos nós oscila normalmente, ao longo da vida, entre o objeto masculino e o feminino; o solteiro abandona suas amizades quando se casa e volta para a mesa do bar quando seu casamento fica insosso. É claro que, quando essa oscilação é tão profunda e tão definitiva, nossa suspeita se volta para um fator especial que favorece decisivamente um ou outro lado e talvez só tenha aguardado o momento propício para impor a escolha de objeto em seu proveito.

Portanto, nossa jovem, depois daquela decepção, expulsou de si completamente o desejo de ter um filho, o amor pelo homem e o papel feminino. E é evidente que várias outras coisas poderiam ter acontecido; mas o que realmente aconteceu foi o mais extremo. Ela se transformou em homem e tomou a mãe, em vez do pai, como objeto de amor.[i] Sua relação com a mãe foi

---

[i] Não é tão raro que alguém rompa uma ligação amorosa, identificando-se com o objeto, o que corresponde a uma espécie de regressão ao

certamente ambivalente desde o início; foi fácil reanimar o anterior amor pela mãe, e com a ajuda desse amor supercompensar a atual animosidade contra a mãe. Tendo em vista que com a mãe real pouco havia o que fazer, produziu-se, desse deslocamento de sentimentos, a procura por um substituto da mãe, no qual se poderia apoiar com apaixonada ternura.[i]

Um motivo prático decorrente de suas relações reais com a mãe veio a se acrescentar ainda como "ganho da doença". A própria mãe ainda apreciava ser cortejada e admirada pelos homens. Então, se ela se tornasse homossexual e deixasse os homens para a mãe, lhe "deixasse o caminho livre",[1] por assim dizer, ela tiraria do caminho algo que até então tinha carregado a culpa pela antipatia da mãe.[ii]

---

narcisismo. Depois que isso ocorreu, em uma nova escolha de objeto, é facilmente possível investir com sua libido o sexo oposto ao anterior.

[i] Os deslocamentos da libido aqui descritos são, sem dúvida, conhecidos por qualquer analista pela pesquisa das anamneses dos neuróticos. Só que nestes últimos eles acontecem na primeira infância, na época do florescimento da vida amorosa; em nossa jovem, que de modo algum é neurótica, eles se desenvolvem nos primeiros anos após a puberdade, aliás, da mesma forma, de maneira totalmente inconsciente. Será que esse fator temporal algum dia se revelará de elevada importância?

[ii] Como até agora esse "deixar o caminho livre para alguém" não foi mencionado entre as causas da homossexualidade ou do mecanismo de fixação da libido, gostaria de acrescentar aqui uma observação analítica semelhante, interessante por uma circunstância particular. Há algum tempo conheci dois irmãos gêmeos, ambos dotados de intensos impulsos libidinais. Um deles tinha muita sorte com mulheres e mantinha inúmeras relações com senhoras e moças. O outro, a princípio, estava no mesmo caminho, mas depois tornou-se desagradável para ele rivalizar com o irmão, ser confundido com ele em circunstâncias íntimas por causa de sua semelhança, e resolveu a dificuldade tornando-se homossexual. Ele deixou as mulheres para o irmão e assim lhe "deixou o caminho livre". Outra vez, tratei um homem jovem, artista, de disposição inequivocamente bissexual, para quem a homossexualidade se instalou simultaneamente a uma perturbação

NEUROSE, PSICOSE, PERVERSÃO 173

A posição libidinal conseguida dessa maneira foi então reforçada quando a jovem percebeu o quanto ela era desagradável para o pai. Desde aquela primeira punição por causa de uma aproximação muito carinhosa a uma mulher, ela sabia com o que podia ofender o pai e como poderia se vingar dele. Agora ela permanecia homossexual para desafiar o pai. Também não tinha escrúpulos por enganá-lo e por lhe mentir de todas as maneiras. Com a mãe ela só era insincera enquanto fosse necessário, para que o pai não ficasse sabendo de nada. Eu tinha a impressão de que ela agia de acordo com a lei de Talião: se você me enganou, precisa aceitar que eu também te engane. Também não posso julgar de outra maneira a flagrante falta de precaução dessa jovem, em geral, refinadamente inteligente. O pai tinha de ficar sabendo, de vez em quando, de seus encontros com a dama, do contrário ela perderia a satisfação da vingança que, para ela, era a mais urgente. Assim, tomou providências para se mostrar

---

no trabalho. Fugiu, ao mesmo tempo, das mulheres e do trabalho. A análise que pôde devolvê-lo a ambos provou que o temor diante do pai era o motivo mais poderoso das duas perturbações – na verdade, renúncias. Em sua imaginação, todas as mulheres pertenciam ao pai, e ele se refugiou nos homens por resignação, para deixar o caminho livre para o pai e resolver o conflito. Essa motivação da escolha homossexual de objeto deve ser frequente; nos tempos primordiais da espécie humana era realmente assim: todas as mulheres pertenciam ao pai e chefe da horda primordial. – Em irmãos não gêmeos, esse "deixar o caminho livre" também desempenha um papel importante em outros domínios, além da escolha amorosa. Por exemplo: o irmão mais velho dedica-se à música e é reconhecido por isso; o mais novo, muito mais dotado musicalmente, logo interrompe seus estudos de música, apesar da falta que sente deles, e não mais é possível movê-lo a tocar um instrumento. Esse é apenas um exemplo para um acontecimento muito mais frequente, e a investigação dos motivos que levam a "deixar o caminho livre" em vez de aceitar a concorrência revela circunstâncias psíquicas muito complicadas.

publicamente em companhia de sua adorada, indo passear nas ruas próximas ao local de trabalho do pai, entre outras atitudes. Mesmo essas inadequações não aconteciam sem propósito. Além disso, é digno de nota que ambos os pais se comportavam como se entendessem a secreta psicologia da filha. A mãe se mostrava tolerante, como se recebesse o "deixar o caminho aberto" da filha como uma deferência, e o pai se enfurecia, como se sentisse a intenção da vingança dirigida contra a sua pessoa.

Mas a inversão da jovem recebeu o último reforço quando viu na "dama" um objeto que, ao mesmo tempo, oferecia satisfação à parte de sua libido heterossexual ainda ligada ao irmão.

III

A exposição linear não é muito apropriada para descrever os processos anímicos entrelaçados[2] [*verschlungenen*] e que se desenrolam em diversas camadas anímicas. Vejo-me obrigado a interromper a discussão do caso, bem como a ampliar e aprofundar alguns pontos do que foi comunicado.

Mencionei que a jovem, em sua relação com a dama adorada, assumiu o tipo masculino de amor. Sua humildade e sua doce despretensão, *"che poco spera e nulla chiede"*[3] [que pouco espera e nada pede], a felicidade, quando lhe era permitido acompanhar a dama em mais um trecho e beijar-lhe a mão ao se despedir, a alegria quando ela ouvia elogiarem-na, enquanto o reconhecimento de sua própria beleza por parte de estranhos não lhe significava absolutamente nada, suas peregrinações a lugares em que a amada estivera antes, o silenciamento de todos os mais sensuais desejos: todos esses pequenos traços correspondiam à primeira paixão entusiasmada de um jovem por uma atriz célebre, que ele considera estar em plano mais alto que ele e para quem ele mal ousa levantar os olhos. A correspondência com um "tipo masculino de escolha de objeto" descrito por mim, cujas peculiaridades eu remeti à ligação com a mãe,[i] chegava até os detalhes. Podia parecer curioso que ela não se horrorizasse minimamente com a má reputação da amada, embora suas próprias observações a convencessem suficientemente da justeza desses boatos. Ela era, afinal, uma jovem bem-educada e recatada, que evitava aventuras sexuais para a própria pessoa e que considerava antiestéticas as satisfações grosseiramente sensuais. Mas suas primeiras paixões já tinham sido dirigidas a mulheres que não possuíam nenhuma inclinação a uma moralidade especialmente rígida. O primeiro protesto do pai contra sua escolha amorosa foi provocado pela obstinação com que ela investiu a relação com uma atriz de cinema em um local de veraneio. Entretanto, nunca se tratava de mulheres com reputação homossexual e que lhe oferecessem a perspectiva de uma satisfação desse tipo; ela tentava muito mais, ilogicamente, conquistar mulheres cocotas, no sentido comum da palavra; ela rejeitou, sem pestanejar, uma homossexual amiga sua e de mesma idade, que se colocou voluntariamente à sua disposição. Contudo, para ela, a má fama da "dama" era precisamente uma condição para o amor, e tudo o que havia de misterioso nessa relação desaparece se lembrarmos que também para aquele tipo masculino de escolha de objeto, derivado da mãe, permanece a condição de que a amada tenha, de alguma forma, "má reputação sexual", de que poderia ser chamada de cocota. Quando, mais tarde, ela fica sabendo

---

[i] *Gesammelte Werke*, v. III, p. 65.

em que medida essa qualificação era adequada para a sua amada dama, e que esta vivia simplesmente da entrega de seu corpo, sua reação consistiu em uma grande compaixão e no desenvolvimento de fantasias e planos de como poderia "salvar" a amada dessas circunstâncias indignas. Saltam-nos à vista os mesmos esforços de salvamento nos homens do tipo descrito por mim, e no trecho citado tentei oferecer a derivação analítica desse ímpeto.

Por outro lado, a tentativa de suicídio – que preciso considerar seriamente intencionada – leva a regiões bem diferentes de explicação e, aliás, melhorou consideravelmente a sua posição tanto em relação aos pais quanto à dama amada. Um dia foi com ela passear em um lugar e em uma hora nos quais não era improvável um encontro com o pai voltando do escritório. O pai passou por elas e lançou um olhar furioso sobre ela e sua acompanhante, que ele já conhecia. Imediatamente ela se jogou no vão da linha de trem. Sua justificativa sobre a causa imediata de sua decisão soa agora inteiramente plausível. Ela havia confessado à dama que o senhor que as tinha olhado de maneira tão feroz era seu pai, que não queria saber nada sobre essa relação. A dama, então, ficou colérica e ordenou que a deixasse imediatamente, que não mais a esperasse ou lhe dirigisse a palavra; essa história tinha de terminar naquele momento. No desespero de ter perdido a amada dessa forma para sempre, ela quis se entregar à morte. Contudo, a análise permitiu descobrir uma outra e mais profunda interpretação por trás da sua, apoiada em seus próprios sonhos. A tentativa de suicídio era, além disso, como esperado, determinada por dois motivos: uma realização de punição (autopunição) e uma realização de desejo. Este último significava a consecução daquele desejo cuja decepção a havia movido à homossexualidade, a saber,

NEUROSE, PSICOSE, PERVERSÃO 177

ter um filho do pai, pois agora ela caía[i] [*niederkommen*][4] por culpa do pai. O que estabelece a ligação entre essa interpretação profunda e a consciente, superficial da jovem é o fato de nesse momento a dama ter falado exatamente como o pai e de ter colocado a mesma proibição. Quanto à autopunição, a ação da jovem nos mostra que ela desenvolveu em seu inconsciente fortes desejos de morte contra um ou outro dos membros do casal parental. Talvez por ganas de vingança contra o pai, que perturbou o seu amor, mas ainda mais provavelmente também contra a mãe, quando engravidou do irmão menor. Pois a análise nos trouxe, para o enigma do suicídio, a explicação de que talvez ninguém encontre a energia psíquica para se matar se não estiver, em primeiro lugar, matando um objeto com o qual se tenha identificado e, em segundo lugar, voltando contra si mesmo um desejo de morte que estava dirigido a outra pessoa. Aliás, não é preciso que tomemos como estranha a descoberta regular desses desejos inconscientes de morte no suicídio, ou que ela se imponha como confirmação de nossas deduções, pois o inconsciente de todos os seres vivos está repleto desses desejos de morte, mesmo contra pessoas normalmente queridas.[ii] Na identificação com a mãe, que deveria ter morrido no parto do filho a ela negado (à filha), essa própria realização de punição é, no entanto, novamente uma realização de desejo. Por último, o fato de que os

---

[i] Essas interpretações dos modos de suicídio através de realizações sexuais de desejo já são conhecidas há muito tempo pelos analistas (envenenar[-se] = ficar grávida; afogar[-se] = dar à luz/parir; jogar[-se] do alto = cair/parir).

[ii] Cf. "Considerações contemporâneas sobre guerra e morte" ["Zeitgemässes über Krieg und Tod"], *Gesammelte Werke*, v. X [este artigo será publicado nesta coleção no volume *Sociedade, religião, cultura* (N.E.)].

mais diversos e intensos motivos devem ter cooperado para possibilitar um ato como o da nossa jovem não irá contradizer a nossa expectativa.

Na motivação da jovem o pai não aparece; sequer é mencionado o medo de sua ira. Na fundamentação descoberta pela análise, cabe a ele o papel principal. A relação com o pai também teve a mesma importância decisiva para o andamento e o final do tratamento analítico, ou melhor, da exploração analítica. Por detrás da pretensa consideração pelos pais, por amor aos quais ela quis apoiar a tentativa de transformação, escondia-se a posição de desafio e vingança contra o pai, posição que a manteve na homossexualidade. Protegida com essa cobertura, a resistência liberou uma vasta região para a exploração analítica. A análise prosseguiu quase sem sinais de resistência, com a participação intelectual ativa da analisanda, mas também com sua total tranquilidade emocional. Certo dia, quando lhe expus uma parte especialmente importante da teoria, e que lhe dizia respeito, ela respondeu em tom inimitável: "Ah!, mas isso é muito interessante!", tal como uma dama do mundo que é guiada ao longo de um museu e que olha, através de um monóculo, os objetos que lhe são completamente indiferentes. A impressão sobre sua análise se aproximava à de um tratamento hipnótico, no qual a resistência se retirou igualmente até uma determinada fronteira, na qual ela então se põe invencível. A resistência obedece frequentemente à mesma tática russa[5] – poderíamos chamá-la assim – em casos de neurose obsessiva, que, por isso, durante certo tempo apresentam os mais claros resultados e permitem uma clara visão da causação dos sintomas. Começamos, então, a ficar curiosos sobre como é que tão grandes progressos na compreensão analítica não trazem a mais leve mudança nas obsessões e inibições dos doentes, até que finalmente percebemos que tudo o que se conseguiu está sujeito à reserva da dúvida, por trás de cuja parede protetora a neurose podia sentir-se segura. "Seria tudo maravilhoso" – pensa o doente, muitas vezes também de maneira consciente – "se eu tivesse de acreditar nesse homem, mas como não se trata disso e enquanto esse não for o caso, eu também não preciso mudar nada". Se depois nos aproximamos da motivação dessa dúvida, a luta com as resistências irrompe seriamente.

No caso de nossa jovem, não foi a dúvida, mas o fator afetivo da vingança contra o pai que possibilitou sua fria reserva, dividiu a análise claramente em duas fases e permitiu que os resultados da primeira fase se tornassem tão completos e visíveis. Também pareceu que nada semelhante a uma transferência com o médico tivesse ocorrido. Mas é claro que isso é um absurdo ou um modo impreciso de expressão; algum tipo de relação com o médico precisa se estabelecer, e esta é, na maioria das vezes, transferida de uma relação infantil. Na verdade, ela transferiu para mim a fundamental recusa ao homem, recusa que a tinha dominado desde sua decepção com o pai. Em geral, a amargura contra o homem facilmente encontra satisfação no médico; ela não precisa evocar quaisquer manifestações tempestuosas de sentimento, pois basta boicotar todos os seus esforços e aferrar-se na condição de doente. Sei, por experiência, o quanto é difícil levar o analisando a compreender justamente essa sintomatologia muda e fazer com que tome consciência dessa animosidade latente e muitas vezes excessivamente forte, sem colocar o tratamento em perigo. Portanto, interrompi o tratamento assim que reconheci a posição da jovem para com o pai e recomendei que, se ela dava valor à tentativa terapêutica, devia prosseguir com uma médica. Nesse meio-tempo, a jovem havia prometido ao pai suspender pelo menos a relação com a "dama", e não sei se meu conselho, cujo motivo é óbvio, será seguido.

Uma única vez ocorreu algo nessa análise que eu pude entender como uma transferência positiva, como uma renovação extremamente enfraquecida da entusiasmada paixão original pelo pai. Mesmo essa manifestação não estava isenta do acréscimo de uma outra razão, mas eu a menciono porque ela coloca em questão, em outra direção, um problema interessante da técnica analítica. Durante certo tempo, não muito depois do início do tratamento, a jovem trouxe uma série de sonhos que, devidamente deformados [*entstellt*] e vertidos na linguagem correta dos sonhos, eram fáceis e seguros de traduzir. No entanto, seu conteúdo interpretado era surpreendente. Eles antecipavam a cura da inversão pelo tratamento, expressavam sua alegria pelas perspectivas de vida que agora se abriam para ela, confessavam a ânsia pelo amor de um homem e por filhos, e assim podiam ser acolhidos como uma bem--vinda preparação para a mudança desejada. A contradição com suas simultâneas manifestações na vigília era muito grande. Ela não me fazia segredo do fato de que pensava em se casar, mas apenas para se livrar da tirania do pai e viver, imperturbada, suas verdadeiras inclinações. Sobre o marido – observava com uma ponta de desprezo – ela faria o que fosse necessário, e finalmente ela também poderia, como mostrava o exemplo da dama adorada, manter relações sexuais simultâneas com um homem e uma mulher. Advertido por alguma ligeira impressão, disse-lhe certo dia que não acreditava nesses sonhos, eles eram mentirosos e hipócritas, e que sua intenção era me enganar, como ela costumava enganar o pai. Eu tinha razão; esse tipo de sonho cessou a partir desse esclarecimento. Mas ainda acredito que, além da intenção de despistar, havia um pouco de galanteio nesses sonhos; era também uma tentativa de ganhar meu interesse e minha boa opinião, talvez para mais tarde me decepcionar mais profundamente ainda.

Posso imaginar que apontar a existência de sonhos complacentes mentirosos como esses provocará em alguns autodenominados analistas uma verdadeira tempestade de impotente indignação. "Então o inconsciente também pode mentir, o verdadeiro núcleo da nossa vida anímica, aquele que em nós está muito mais próximo do divino do que nossa pobre consciência! E então, como ainda podemos confiar nas interpretações da análise e na certeza de nossos conhecimentos?" Ao contrário, é preciso dizer que o reconhecimento desses sonhos carregados de mentira não constitui uma novidade chocante. Sei, na verdade, que a necessidade mística dos seres humanos é inesgotável e que ela faz incessantes tentativas de ganhar novamente o território que foi arrancado da mística pela *Interpretação dos sonhos*, mas, no caso que nos ocupa, tudo é bastante simples. O sonho não é o "inconsciente", ele é a forma pela qual um pensamento remanescente, vindo do pré--consciente ou mesmo do consciente da vida de vigília, pôde ser remodelado, graças às condições favoráveis do estado de sono. No estado de sono ele recebeu o apoio de moções inconscientes de desejo e sofreu deformação através do "trabalho do sonho", que é determinado pelos mecanismos que regem o inconsciente. No caso da nossa sonhadora, a intenção de me confundir, tal como ela costumava fazer com o pai, certamente provinha do pré-consciente, se é que não era mesmo consciente; mas esta só pôde se estabelecer porque se ligou com a moção inconsciente de desejo de agradar o pai (ou o substituto do pai), e criou assim um sonho mentiroso. Ambas as intenções, enganar o pai e agradar o pai, provêm do mesmo complexo; a primeira cresceu a partir do recalcamento da última, e a posterior é levada de volta à anterior pelo trabalho do sonho. Portanto, não há como se falar de uma desvalorização do inconsciente ou de um abalo da confiança nos resultados da nossa análise.

Não quero perder a oportunidade de também colocar em palavras o meu espanto pelo fato de os seres humanos conseguirem atravessar longas e importantes fases de sua vida amorosa sem percebê-las adequadamente, na verdade, sem terem sobre elas a menor noção; ou que, quando isso lhes chega à consciência, equivoquem-se tão profundamente quanto ao seu julgamento. Isso não acontece apenas sob as condições da neurose, com cujo fenômeno estamos familiarizados, mas parece ser bastante comum. Em nosso caso, uma jovem desenvolve uma paixão por mulheres, paixão que os pais, a princípio, sentem apenas como desagradável, mas que não é levada a sério; ela própria sabe muito bem o quanto vai ser exigida por isso, mas ainda sente muito pouco das sensações de uma paixão intensa, até que um determinado impedimento [*Versagung*] provoca uma reação bastante excessiva, mostrando a todos os envolvidos que se trata de uma paixão devoradora de força elementar. A jovem também nunca percebeu nada sobre as condições requeridas para a irrupção de uma tempestade anímica como essa. Em outros casos encontramos jovens ou senhoras em graves depressões, e quando perguntadas sobre a provável causa de seu estado, informam que teriam sentido algum interesse por uma determinada pessoa, mas que não o tomaram muito profundamente e encerraram esse assunto, assim que foi preciso abandoná-lo. E, de fato, essa renúncia, que pareceu tão facilmente superada, tornou-se a causa da grave perturbação. Ou também encontramos homens que encerraram ligações amorosas superficiais com mulheres e só a partir dos efeitos subsequentes puderam perceber que estavam ardentemente apaixonados pelo objeto aparentemente menosprezado. Também nos espantamos com os impensáveis efeitos que podem advir de um aborto artificial, a morte de um fruto do ventre, decisão a que se chegou sem remorso nem hesitação. Assim, vemos que é preciso dar razão aos poetas [*Dichter*] que nos descrevem de preferência pessoas que amam sem sabê-lo, ou que não sabem se amam, ou que acreditam odiar, quando na verdade amam. Parece que justamente a informação que a nossa consciência recebe de nossa vida amorosa pode ser, com especial facilidade, incompleta, lacunosa ou falseada. É claro que, nestas elucidações, não me descuidei de descontar a parte de um esquecimento posterior.

IV

Agora volto à discussão do caso interrompida anteriormente. Traçamos um panorama sobre as forças que transportaram a libido da jovem da posição normal no Édipo até a da homossexualidade e sobre os caminhos psíquicos percorridos no processo. No topo, entre essas forças móveis, ficava a impressão causada pelo nascimento de seu irmão mais novo, e isso nos sugere classificar o caso como o de uma inversão adquirida tardiamente.

Só que aqui nos damos conta de um estado de coisas com o qual nos deparamos em muitos outros exemplos de esclarecimento psicanalítico de um processo anímico. Quando perseguimos o desenvolvimento partindo de seu resultado final e voltando para trás, produz-se uma conexão sem lacunas e consideramos o nosso entendimento perfeitamente satisfatório e talvez até exaustivo. Mas se tomamos o caminho inverso, se partimos das premissas descobertas pela análise e procuramos persegui-las até o resultado, desaparece totalmente a impressão de um encadeamento necessário e que não poderia ser determinado de nenhuma outra maneira. Percebemos imediatamente que poderia ter havido outro resultado e que também teríamos entendido e podido explicá-lo igualmente bem. A síntese não é, portanto, tão satisfatória quanto a análise; em outras palavras, não teríamos sido capazes de prever, a partir do conhecimento das premissas, a natureza do resultado.

É muito fácil reconduzir esse conhecimento perturbador às suas causas. Mesmo que os fatores etiológicos, decisivos para um determinado resultado, sejam-nos inteiramente conhecidos, nós apenas os conhecemos por sua especificidade qualitativa, e não pela sua força relativa. Alguns deles serão reprimidos [*unterdrückt*] por outros por serem muito fracos e não serão considerados no resultado final. Mas nunca sabemos de antemão quais fatores determinantes provarão ser os mais fracos ou os mais fortes. Só no final dizemos que se impuseram os que eram os mais fortes. Assim, a causação, na direção da análise, pode ser reconhecida a cada vez, com segurança, mas a sua previsão na direção da síntese é impossível.

Portanto, não queremos afirmar que toda jovem que experimenta uma decepção como essa no anseio amoroso derivado da posição do Édipo nos anos da puberdade necessariamente cairá, por isso, na homossexualidade. Ao contrário, outros tipos de reação a esse trauma serão mais frequentes. Mas então, no caso dessa jovem, fatores especiais devem ter sido decisivos, fatores externos ao trauma, provavelmente de natureza interna. Também não há dificuldade em apontá-los.

Como sabemos, também no caso de uma pessoa normal, é preciso um determinado tempo até que se imponha definitivamente a decisão sobre o sexo do objeto de amor. Entusiasmos homossexuais, amizades exageradamente intensas e sensualmente matizadas são bem habituais em ambos os sexos nos primeiros anos após a puberdade. Foi assim também com a nossa jovem, mas essas inclinações se revelavam nela indubitavelmente mais fortes e duravam mais tempo do que nos outros. Acrescenta-se a isso que esses prenúncios da homossexualidade posterior sempre ocuparam sua vida consciente, enquanto a posição derivada do Édipo permaneceu inconsciente e só veio à luz em indícios tais como o mimo por aquele garotinho. Como estudante, ela esteve durante muito tempo apaixonada por uma professora inacessível e rígida, um evidente substituto da mãe. Ela mostrou um interesse muito vivo por algumas jovens mães, bem antes do nascimento do irmão e, com maior certeza, muito tempo antes daquela primeira reprimenda do pai. Portanto, desde os anos muito precoces, sua libido fluía em duas correntes, das quais a que está mais na superfície pode ser chamada, sem hesitação, de homossexual. Provavelmente essa era a continuação direta, sem alteração, de uma fixação infantil na mãe. É possível que, com a nossa análise, também não tenhamos descoberto nada além do processo que, em ocasião apropriada, também transportou a corrente de libido heterossexual, mais profunda, para a homossexual, manifesta.

Além disso, a análise demonstrou que a jovem trouxe de sua infância um "complexo de masculinidade" fortemente acentuado. Cheia de vida, briguenta, nada disposta a ficar atrás do irmão um pouco mais velho, ela desenvolveu, desde aquela inspeção dos genitais, uma poderosa inveja do pênis, cujos derivados ainda povoavam seu pensamento. Na verdade, ela era uma feminista, achava injusto que as meninas não gozassem da mesma liberdade que os meninos e rebelava-se absolutamente contra a sina da mulher. Na época da análise, a gravidez e o parto eram para ela representações desagradáveis, como eu presumo, também por causa da desfiguração corporal a eles ligada. A essa defesa havia se recolhido seu narcisismo feminino,[i] que não mais se expressava como orgulho por sua beleza. Diversos indícios apontavam para um antigo prazer de olhar e de exibição [*Schau- und Exhibitionslust*]. Quem não quiser ver diminuído na etiologia o papel do adquirido chamará a atenção para o fato de que a conduta da jovem, tal como descrita, era exatamente o que precisaria ser determinado pelo efeito combinado da discriminação da mãe e da comparação de seus genitais com os do irmão, em meio a uma forte fixação na mãe. Aqui também há a possibilidade de atribuir algo a uma marca deixada pela operação de uma influência externa nos primeiros anos, o que se gostaria de considerar como especificidade constitucional. E também a respeito dessa aquisição – se ela realmente aconteceu – uma parte será considerada de constituição inata. Assim se mistura e se une continuamente na observação aquilo que nós, na teoria, queremos distinguir como um par de opostos – herança e aquisição.

Se um término prematuro, provisório da análise tivesse levado à afirmação de que se tratava de um caso de aquisição tardia da homossexualidade, o exame do material que agora empreendemos nos impeliria muito mais à conclusão de que preexistiu uma homossexualidade inata que, como é habitual, só se fixou e se revelou sem disfarce no período posterior à puberdade. Cada uma dessas classificações faz

---

[i] Cf. a admissão de Cremilda [Kriemhilde] na *Canção dos Nibelungos* [*Nibelungenlied*].

NEUROSE, PSICOSE, PERVERSÃO 187

justiça apenas a uma parte do estado de coisas estabelecido pela observação e negligencia a outra. Melhor seria não supervalorizarmos essa maneira de colocar as questões.

A literatura sobre a homossexualidade não costuma distinguir com suficiente clareza as questões sobre a escolha de objeto, por um lado, e sobre o caráter[6] sexual e a posição sexual, por outro, como se a decisão sobre um desses pontos estivesse necessariamente ligada com a do outro. Entretanto, a experiência revela o contrário: um homem, com qualidades predominantemente masculinas, e que também exiba o tipo masculino de vida amorosa, pode ser invertido em relação ao objeto e amar apenas homens em vez de mulheres. Um homem, em cujo caráter predominam as qualidades femininas de maneira chamativa, e que se comporte no amor como uma mulher, deveria, em virtude dessa posição feminina, endereçar-se ao homem como objeto de amor; mas, apesar disso, ele pode ser heterossexual e não mostrar em relação ao objeto uma inversão maior do que uma pessoa normal. O mesmo vale para as mulheres; nelas, caráter sexual psíquico e escolha de objeto também não coincidem em uma relação fixa. Portanto, o mistério da homossexualidade não é, de maneira alguma, tão simples quanto comumente é apresentado no uso popular: uma alma feminina, que por isso precisa amar o homem e por infelicidade está instalada em um corpo masculino, ou uma alma masculina, que é atraída irresistivelmente pela mulher e infelizmente está desterrada em um corpo feminino. Trata-se, muito mais, de três séries de caracteres

Caracteres sexuais somáticos   –   caráter sexual psíquico
(hermafroditismo físico)   (posição masculina ou feminina)

– tipo de escolha de objeto

que até determinado grau variam independentemente um do outro e se apresentam, em cada indivíduo, em permutações múltiplas. A literatura tendenciosa dificultou o entendimento dessas proporções quando, por motivos práticos, colocou em primeiro plano a única conduta chamativa para o leigo, a correspondente ao terceiro ponto, o da escolha de objeto, e, além disso, exagerou na solidez da ligação entre este e o primeiro ponto. Ela também bloqueia seu caminho que leva ao entendimento mais profundo de tudo isso que se designa uniformemente como homossexualidade, quando rejeita dois fatos fundamentais que a investigação psicanalítica descobriu. O primeiro, que os homens homossexuais experimentaram uma fixação particularmente intensa na mãe; o segundo, que todos os normais, ao lado de sua heterossexualidade manifesta, deixam notar uma medida considerável de homossexualidade latente ou inconsciente. Se levamos em conta esses achados, não se sustenta a suposição de um "terceiro sexo" criado por um capricho da natureza. Não é papel da Psicanálise resolver o problema da homossexualidade. Ela precisa se contentar em revelar os mecanismos psíquicos que levaram à decisão sobre a escolha de objeto e em rastrear seus caminhos até as disposições pulsionais. Então ela encerra e deixa o restante para a investigação biológica, que justamente agora, nos experimentos de Steinach,[i] produziu esclarecimentos tão importantes sobre a influência da primeira das séries mencionadas sobre a segunda e a terceira. Ela se situa em terreno comum com a Biologia, na medida em que adota como premissa uma bissexualidade originária do indivíduo humano (assim

---

[i] Cf. A. Lipschütz: *A glândula da puberdade e seus efeitos* [*Die Pubertätsdrüse und ihre Wirkungen*]. Bern: E. Bircher, 1919.

como do animal). Mas a Psicanálise não pode esclarecer a natureza daquilo que, no sentido convencional ou biológico, chama-se "masculino" e "feminino"; ela assume ambos os conceitos e faz deles a base de seu trabalho. Quando fazemos a tentativa de uma nova recondução, a masculinidade se dissolve em atividade, e a feminilidade, em passividade, e isso é muito pouco. Já tentei explicar a medida em que é admissível ou está corroborada a expectativa de obter um ponto de apoio para alterar a inversão através do trabalho de esclarecimento que faz parte da análise. Se comparamos essa medida de influência com as notáveis transformações que Steinach[7] conseguiu em casos particulares mediante intervenções cirúrgicas, ela não causa nenhuma impressão imponente. Mas seria apressado ou exagero prejudicial abrigar desde já a esperança de uma "terapia" da inversão que fosse de aplicação universal. Os casos de homossexualidade masculina com os quais Steinach foi bem-sucedido satisfaziam a nem sempre presente condição de um "hermafroditismo" somático marcado ao extremo. A terapia de uma homossexualidade feminina por caminhos análogos é, em princípio, bastante obscura. Se tivesse de consistir na remoção dos ovários provavelmente hermafroditas e na implantação de outros que se supõe serem de um único sexo, ela teria poucas perspectivas de aplicação prática. Um indivíduo feminino que se sente masculino e amou de maneira masculina dificilmente se deixará forçar no papel feminino, se tiver de pagar pela transformação, nada vantajosa em todos os aspectos, com a renúncia à maternidade.

190 OBRAS INCOMPLETAS DE S. FREUD

Über die Psychogenese eines Falles von weiblicher Homosexualität *(1920)*

1920 Primeira publicação: *Internationale Zeitschrift für Psychoanalyse*, t. 6, n. 1, p. 159-194

1924 *Gesammelte Schriften*, t. V, p. 312-343

1947 *Gesammelte Werke*, t. XII, p. 271-302

Escrito em janeiro de 1920, no intervalo da escrita de um de seus mais importantes trabalhos, "Além do princípio de prazer", o presente artigo seria intitulado apenas "Sobre a gênese de um caso de homossexualidade feminina". A substituição de "gênese" por "psicogênese" é notável, como resultado da investigação, e não como seu ponto de partida.

Esse caso inaugura uma nova modalidade de escrita clínica. Com efeito, desde a reformulação da teoria das pulsões, Freud não publicou mais nenhum grande relato clínico, nenhuma história clínica. Não obstante, os artigos desse período são muitas vezes vertiginosos exercícios de escrita em que clínica e metapsicologia se entrecruzam. A narrativa exaustiva dá lugar a fragmentos e excertos com fins precisos.

Os fatos relatados nesse caso remontam a 1917. A jovem em questão tinha 18 anos quando, depois de uma tentativa de suicídio, seu pai obrigou-a a se tratar com Freud. Perto de completar 100 anos de idade, Margareth Csonka, verdadeira identidade da paciente de Freud, declara que não passa um dia sem se lembrar da dama pela qual se apaixonara em sua juventude. Durante sua longa vida, fez diversos relatos e ofereceu diferentes versões dos episódios relatados por Freud, frequentemente em tom crítico. Sob o pseudônimo de Sidonie Csillag, revelou os principais dados que permitem contextualizar sua vida, sua paixão pela baronesa Leonie von Puttkamer e os detalhes relativos à sua malograda tentativa de suicídio, quando seu pai a surpreendera em um passeio entre o pavilhão de exposições da Secessão e a Kettenbrückengasse, quando ela se lança no cais do trem urbano. Mais tarde, casou-se por conveniência com o barão Eduard von Trautenegg, de quem adotou o sobrenome, mas nunca deixou de ter uma vida dupla. De origem judia, mesmo convertida ao catolicismo e depois ao protestantismo, não escapou de perder toda a sua fortuna depois da anexação da Áustria por Hitler. Durante seu curto tratamento, inventava sonhos e histórias infantis que imaginava satisfazer seu analista. Ao perceber a manobra, Freud interrompeu o tratamento, dando assim uma grande margem para que nos interroguemos se os sonhos e as histórias inventadas seriam um material menos valioso para a análise do que os sonhos de fato sonhados e as histórias consideradas verdadeiras.

NEUROSE, PSICOSE, PERVERSÃO 191

Neste texto, destaca-se a posição ética do analista diante da demanda dos pais, ao se furtar a realizar o desejo deles. Freud nunca considerou que a homossexualidade da jovem fosse uma doença que precisasse ser curada. Vale destacar que estamos diante da primeira ocorrência do conceito de "construção", como uma estratégia diversa da "interpretação", tema que será plenamente desenvolvido apenas em 1937 ("Construções em análise").

O ensaio de Freud tornou-se a referência principal para a compreensão do complexo de castração nas mulheres, formulado por Karen Horney em um texto que marcou época nos debates sobre a feminilidade ("Sobre a gênese do complexo de castração feminino").

Uma contribuição relevante a essa discussão, embora não cite expressamente o artigo de Freud, pode ser encontrada em Joan Rivière, "A feminilidade como máscara".

HORNEY, K. Zur Genese des weiblichen Kastrationskomplex. *Internationale Zeitschrift für Psychoanalyse*, n. 9, 1923 • RIVIÈRE, J. A feminilidade como máscara. *Psyche*, São Paulo, v. 9, n. 16, p. 13-24, 2005 • RIEDER, I.; VOIGT, D. *Desejos secretos: a história de Sidonie C., a paciente homossexual de Freud*. Rio de Janeiro: Companhia das Letras, 2008.

NOTAS

[1] Aqui Freud faz simplesmente uso do verbo reflexivo [*sich*] *ausweichen*, cujas primeiras acepções são as de "desviar-se", "sair do caminho". (N.R.)

[2] Freud já havia empregado o adjetivo "entrelaçado" [*verschlungenen*] em *Studien über Hysterie*, cap. IV, "Über die Psychopathologie der Hysterie", Parte 3 (*Gesammelte Werke*, v. I, p. 290-307), para dizer que é por causa da ordenação dinâmica das camadas psíquicas que o sintoma é tão frequentemente determinado por várias causas [*mehrfach determiniert*], é sobredeterminado [*überbestimmt*]. Em outras palavras, para dizer que em um entrelaçamento linguístico qualquer elemento isolado não é solidário apenas do conjunto – cronologicamente falando –, mas se recorta e se constitui por toda uma série de afluências, de sobredeterminações oposicionais que o situam, ao mesmo tempo, em vários registros. (N.T.)

[3] Essa citação é retirada de *Jerusalém libertada*, peça de Torquato Tasso, canto V, estrofe 16. (N.R.)

[4] O verbo utilizado, *niederkommen*, cujo sentido usual é o de parir, é composto dos elementos *nieder* (embaixo, para baixo) e *kommen* (vir).

Logo, Freud aqui associa o ato de "cair lá embaixo" com a noção de "vir para baixo" presente na construção alemã que expressa o ato de dar à luz um filho. (N.R.)

5 Freud parece aludir a uma tática militar russa que consiste em entregar território ao inimigo, recuando em seu próprio território "sem travar batalha". A ideia era atrair o exército invasor, não sem antes destruir todos os recursos disponíveis, deixando a terra arrasada. Foi essa a tática que o Marechal Kutuzov empregou em 1812 para vencer Napoleão. Chegado o inverno, o exército francês estava sem suprimentos e sem abrigo, a centenas de quilômetros da linha de suprimentos, quando foi derrotado. (N.E.)

6 *Charakter* – pode significar "caráter", "caractere", "característica" e, em determinados casos, "personalidade". Cabe aqui uma importante ressalva à tradução mais direta e frequente por "caráter": nos usos atuais da língua portuguesa no Brasil essa palavra tende a trair certa conotação moralizante e prescritiva geralmente ausente nos usos freudianos do termo alemão. (N.R.)

7 Eugen Steinach (1861-1944) foi um fisiologista austríaco, pioneiro na endocrinologia. Ganhou notoriedade por suas cirurgias sexuais, que visavam aumentar o vigor masculino. Em suas pesquisas iniciais, insistiu acerca do papel das glândulas sexuais na determinação da sexualidade, a partir de experimentos com animais, em que, por exemplo, transplantava testículos dos porquinhos-da-índia machos para as fêmeas, observando as consequências comportamentais da produção de testosterona na fêmea. (N.E.)

SOBRE ALGUNS MECANISMOS NEURÓTICOS NO CIÚME, NA PARANOIA E NA HOMOSSEXUALIDADE (1922)

A

O ciúme faz parte dos estados afetivos que, como o luto, podemos chamar de normais. Quando ele parece faltar no caráter e na conduta de um ser humano, podemos concluir que sofreu um forte recalcamento e, por isso, desempenha um papel ainda maior na vida anímica inconsciente. Os casos de ciúme anormalmente intensificados com os quais a análise se ocupa apresentam-se estratificados em três camadas. As três camadas ou fases do ciúme merecem os nomes de: 1) *competitivo* ou normal; 2) *projetado*; e 3) *delirante*.

Sobre o ciúme *normal* há pouco a dizer do ponto de vista analítico. É fácil perceber que ele é basicamente composto pelo luto, pela dor da perda do objeto de amor que se crê perdido e pela ofensa [*Kränkung*][1] narcísica, na medida em que ela pode ser distinguida das outras; além disso, por sentimentos hostis contra o rival favorecido e pelo maior ou menor grau de autocrítica, que responsabiliza o próprio Eu pela perda de amor. Esse ciúme, mesmo que o chamemos de normal, não é de forma alguma racional, isto é, oriundo de vínculos atuais, proporcionais às efetivas circunstâncias e inteiramente dominado pelo Eu consciente, pois ele está profundamente arraigado no inconsciente, prolonga as mais antigas moções da afetividade infantil e nasce do complexo de Édipo ou do fraternal do primeiro período sexual. Mas é notável que ele possa ser vivenciado bissexualmente por algumas pessoas, isto é, no homem, além da dor pela mulher amada e do ódio pelo rival masculino, também são intensificados a tristeza [*Trauer*][2] pelo homem amado inconscientemente e o ódio pela mulher como rival. Conheço um homem que sofria terrivelmente com seus ataques de ciúme e, de acordo com seus dados, passava pelos mais terríveis tormentos quando se colocava conscientemente no lugar da mulher infiel. A sensação de desamparo [*Hilflosigkeit*] que ele então sentia, as imagens que ele encontrava para o seu estado – como se, tal como Prometeu, tivesse sido exposto para ser devorado pelo abutre ou acorrentado em um ninho de cobras –, ele mesmo as referia à impressão advinda de vários ataques homossexuais que ele tinha sofrido quando rapaz.

O ciúme da segunda fase ou o *projetado* provém, tanto no homem como na mulher, da própria infidelidade praticada na vida ou de impulsos [*Antriebe*] à infidelidade, que sucumbiram ao recalcamento. Constitui uma experiência cotidiana o fato de a fidelidade, sobretudo a exigida no casamento, só poder ser mantida às custas de contínuas tentações. Aquele que recusa [*verleugnet*] a sua existência em si mesmo experimenta, de fato, sua pressão [*Andrängen*][3] de maneira tão intensa que aceita de bom grado servir-se de um mecanismo inconsciente para seu alívio. Esse alívio – na verdade, uma absolvição de sua consciência moral – ele alcança se projetar seus próprios impulsos à infidelidade na outra parte a quem deve fidelidade. Esse forte motivo pode, então, servir-se do material da percepção que denuncia [*verrät*] as moções inconscientes do mesmo tipo na outra parte, e poderia se justificar com o argumento de

Por outro lado, é igualmente fácil mencionar exemplos de nossa concepção atual a respeito dos mecanismos da psicose que apontam para a perturbação das relações entre o Eu e o mundo exterior. No caso da amência de Meynert[3] – a aguda confusão alucinatória, talvez a forma mais extrema e notável de psicose – o mundo exterior não é absolutamente percebido, ou sua percepção permanece totalmente ineficaz. Normalmente o mundo exterior governa o Eu de duas maneiras: primeiro, através de percepções atuais e sempre renováveis; segundo, através do repertório de percepções antigas que, como "mundo interior", configuram um patrimônio e um componente do Eu. Na amência, não apenas a aceitação de novas percepções é recusada [verweigert];[4] mas também o mundo interior – que até agora representou o mundo exterior como sua cópia – teve sua significação (investimento) retirada; o Eu cria autonomamente para si um novo mundo exterior e interior, e não resta dúvida sobre dois fatos: que esse novo mundo é construído de acordo com as moções de desejo do Isso, e que o motivo dessa ruptura com o mundo exterior foi um grave e intolerável impedimento de desejo [Wunschversagung] por parte da realidade. O estreito parentesco dessa psicose com o sonho normal é inequívoco. No entanto, a condição do sonho é o estado de sono, cujas características são o total afastamento da percepção e do mundo exterior.

Sabemos que outras formas de psicose, as esquizofrenias, tendem a desembocar em um embotamento afetivo, isto é, na perda de toda participação no mundo exterior. Sobre a gênese das formações delirantes, algumas análises nos ensinaram que o delírio se apresenta como um remendo colocado onde originariamente havia surgido uma fissura na relação do Eu com o mundo exterior. Se a condição do conflito com o mundo exterior só não é muito mais evidente do que atualmente já reconhecemos, isso se deve ao fato de que, no quadro clínico da psicose, as manifestações do processo patogênico estão frequentemente recobertas por manifestações de uma tentativa de cura ou de reconstrução.

A etiologia comum para o início de uma psiconeurose ou psicose permanece sendo o impedimento [Versagung], a não realização de algum daqueles eternamente indomáveis desejos de infância, enraizados profundamente em nossa organização filogeneticamente determinada. Esse impedimento é sempre, em última análise, exterior; em casos particulares, ele pode partir daquela instância interior (no Super-Eu) que assumiu a representação das exigências da realidade. Nesse caso, o efeito patogênico depende de o Eu, numa tensão de conflito como essa, permanecer fiel à sua dependência do mundo exterior e ou bem tentar silenciar o Isso, ou se deixar subjugar pelo Isso e, portanto, ser arrancado da realidade. No entanto, a existência do Super-Eu introduz, nessa situação aparentemente simples, uma complicação: por meio de um vínculo ainda obscuro para nós, o Super-Eu unifica em si influências tanto do Isso quanto do mundo exterior, tornando-se, de certa forma, um modelo ideal daquilo a que visa todo o anseio do Eu: a reconciliação com suas diversas dependências. A conduta do Super-Eu deveria ser levada em consideração – o que até agora não aconteceu – em todas as formas de adoecimento psíquico. Entretanto, podemos postular, provisoriamente, que também deve haver afecções que têm por base um conflito entre Eu e Super-Eu. A análise nos dá certo direito de supor que a melancolia[5] seria um exemplo desse grupo; então, reservaríamos o nome de "psiconeuroses narcísicas" para perturbações desse tipo. Aliás, não destoa das nossas impressões o fato de encontrarmos motivos para separar estados como a melancolia de outras psicoses. Então percebemos, no entanto, que pudemos aperfeiçoar nossa simples fórmula genética, sem precisar abandoná-la. A neurose de transferência corresponde ao conflito entre o Eu e o Isso; a neurose narcísica, a um conflito entre o Eu e o Super-Eu; a psicose, a um conflito entre o Eu e o mundo exterior. É claro que não sabemos dizer imediatamente se, de fato, ganhamos algum conhecimento novo ou se apenas enriquecemos a nossa fórmula. Mas penso que essa possibilidade de aplicação precisa nos encorajar a continuar mantendo no horizonte a sugerida divisão do aparelho psíquico em Eu, Super-Eu e Isso.

No entanto, é necessária outra discussão para complementar a afirmação de que neuroses e psicoses se originam do conflito do Eu com as várias instâncias que o controlam, correspondendo a um fracasso na função do Eu que mostra seu esforço em conciliar as exigências das várias instâncias. Gostaríamos de saber sob quais circunstâncias e por quais meios o Eu consegue sair ileso, sem adoecer, desses conflitos que, indubitavelmente, estão sempre presentes. Trata-se, pois, de um novo campo de investigação, no qual, seguramente, os mais diferentes fatores deverão ser considerados. Dois deles já se destacam de imediato. Não há dúvida de que a saída de todas essas situações dependerá das relações econômicas, das proporções relativas dos anseios em disputa. Além disso, será possível ao Eu evitar a ruptura de qualquer um dos lados, deformando-se a si mesmo, deixando-se perder sua unicidade e, eventualmente, até segmentando-se e cindindo-se. Assim, as inconsequências, as excentricidades e as loucuras dos seres humanos apareceriam sob uma luz semelhante às de suas perversões sexuais, através de cuja aceitação eles estariam se poupando de recalcamentos.

Para concluir, cabe uma pergunta para a reflexão: qual seria o mecanismo análogo ao do recalcamento, através do qual o Eu se desliga do mundo exterior? Penso que isso não pode ser respondido sem novas investigações, mas ele teria, como o recalcamento, de ter como conteúdo a retirada do investimento enviado pelo Eu.

NEUROSE, PSICOSE, PERVERSÃO 277

Neurose und Psychose (1924)

1924 Primeira publicação: *Internationale Zeitschrift für Psychoanalyse*, t. 10, n. 1, p. 1-5

1924 *Gesammelte Schriften*, t. V, p. 418-422

1940 *Gesammelte Werke*, t. XIII, p. 387-391

Escrito e publicado em 1924, trata-se da primeira ocorrência do termo *psicose* em um título de Freud. Embora ao longo das últimas três décadas Freud tivesse se interessado por fenômenos presentes em diversas manifestações e formas da psicose, é a primeira vez que isola essas duas entidades clínicas, neurose *vs* psicose, na forma como serão consolidadas na literatura psicanalítica subsequente.

Este artigo pode ser lido como uma vertente nosográfica das inovações conceituais de "O Eu e o Isso", publicado um ano antes. Trata-se, portanto, do esforço de pensar duas das principais entidades nosográficas psicanalíticas – neurose e psicose – nos quadros da nova apresentação do aparelho psíquico com três instâncias, o Isso, o Eu e o Super-Eu.

O próprio Freud rapidamente percebeu a necessidade de prolongar as reflexões apenas iniciadas aqui, num texto publicado poucos meses mais tarde, "A perda de realidade na neurose e na psicose".

Uma leitura crítica de Lacan pode ser encontrada na lição do dia 7 de dezembro de 1955 de seu seminário sobre *As psicoses*. Vale lembrar também do uso que Piera Aulaigner faz em seu *A violência da interpretação* (1975).

AULAGNIER, P. *A violência da interpretação: do pictograma ao enunciado.* Rio de Janeiro: Imago, 1979 • LACAN, J. *Seminário III, As psicoses.* Rio de Janeiro: Jorge Zahar, 1985.

NOTAS

[1] Freud remete a *Fausto*, parte I, cena 4, em que Mefistófeles diz: "Cinzenta, meu querido amigo, é toda teoria, e verde a dourada árvore da vida" ["*Grau, theurer Freudn, ist alle Theorie und grün des Lebens goldner Baum*"]. (N.T.)

[2] Cabe aqui destacar o uso do adjetivo *genetisch* para designar o que diz respeito à gênese, à *origem*, e não necessariamente ao biológico ou hereditário. (N.R.)

[3] A *amentia* foi descrita por Theodor Meynert em 1890 como um estado agudo de delírio alucinatório. Freud foi seu aluno em 1883, quando estagiou por um semestre em sua clínica psiquiátrica. Dois anos mais tarde, Meynert o apoiou em sua candidatura ao almejado posto de *Privatdozent* na Universidade de Viena. Não obstante, Freud não acreditava no modelo neuroanatômico de seu professor, para quem os conteúdos surgidos no delírio eram desprovidos de sentido. (N.E.)

[4] Nesse passo, Freud emprega o verbo *verweigern*, que também indica uma forma de *recusa*, sem, contudo, equivaler aos demais mecanismos de defesa que atuam por negação (iniciando também com o prefixo *Ver-*). O que indica como Freud explora diferentes acepções da língua alemã para traduzir diferentes matizes dos fenômenos psíquicos. (N.E.)

[5] No presente volume, o leitor pode conferir como Freud abordava a melancolia em seu célebre ensaio "Luto e melancolia", antes, portanto, da reformulação da teoria do aparelho psíquico. (N.E.)

A PERDA DE REALIDADE NA NEUROSE E NA PSICOSE (1924)

Recentemente[i] estabeleci um dos traços distintivos entre neurose e psicose, de maneira que, na primeira, o Eu, dependente da realidade, reprime [*unterdrückt*] uma parte do Isso (da vida pulsional), enquanto o mesmo Eu, na psicose, a serviço do Isso, afasta-se de uma parte da realidade. Para a neurose, seria então decisivo o predomínio da influência real [*des Realeinflusses*], e para a psicose, o do Isso. A perda de realidade estaria dada de início para a psicose; para a neurose, ao que parece, ela seria evitada.

No entanto, isso não condiz absolutamente com a experiência pela qual todos passamos, de que toda neurose perturba, de alguma maneira, a relação do doente com a realidade; de que a neurose é, para ele, um meio para se afastar da realidade; e de que, em suas formas graves, a neurose significa diretamente uma fuga da vida real. Essa contradição parece preocupante, mas é facilmente contornável, e seu esclarecimento só facilitará a nossa compreensão da neurose.

Na verdade, a contradição só perdura se focalizamos a situação inicial da neurose, na qual o Eu, a serviço da

---

[i] "Neurose e psicose" ["Neurose und Psychose"]. *Internationale Zeitschrift für Psychanalyse X*. (1924). Heft 1. [*Ges. Werke*, Bd. XIII] [artigo incluído no presente volume. (N.E)].

realidade, empreende o recalcamento de uma moção pulsional. Mas essa ainda não é a neurose de fato. Ela consiste muito mais nos processos que fornecem uma compensação para a parte prejudicada do Isso, portanto, na reação contra o recalcamento e no fracasso deste. O afrouxamento do vínculo com a realidade é, então, a consequência desse segundo passo na formação da neurose, e não deveria nos surpreender se o exame detalhado mostrasse que a perda de realidade diz respeito exatamente àquela parte de realidade a partir de cuja exigência ocorreu o recalcamento da pulsão [*Triebverdrängung*].[1]

Caracterizar a neurose como resultado de um recalcamento fracassado não é algo novo. Nós sempre o afirmamos e só foi preciso repeti-lo por causa do novo contexto.

A mesma preocupação voltará a aflorar, aliás, de maneira particularmente acentuada, quando se tratar de um caso de neurose, cujo fator desencadeador ("a cena traumática") for conhecido e no qual se puder observar como a pessoa se afasta de uma experiência como essa e a relega à amnésia. Quero voltar, por exemplo, a um caso analisado há muitos anos,[i] no qual a moça, apaixonada por seu cunhado, fica abalada com a seguinte ideia no leito de morte da irmã: "agora ele está livre e pode se casar com você". Essa cena é imediatamente esquecida, e, com isso, é acionado o processo de regressão que leva aos sofrimentos histéricos. Mas, nesse caso, é justamente instrutivo observar por qual caminho a neurose procura resolver o conflito. A neurose desvaloriza a alteração real, na medida

---

[i] Nos *Estudos sobre histeria* [*Studien über Hysterie*], 1895. [*Ges. Werke*, Bd. I]. [Trata-se do caso Elisabeth von R., pseudônimo de Ilona Weiss, uma jovem de 24 anos, de origem húngara, que Freud tratou entre 1892 e 1893. Freud considerava que essa tinha sido sua primeira análise completa de um caso de histeria. (N.E.)]

NEUROSE, PSICOSE, PERVERSÃO 281

em que recalca a exigência pulsional em questão, isto é, o amor pelo cunhado. A reação psicótica teria sido recusar [*verleugnen*]² a realidade do fato da morte da irmã.

Seria, então, de se esperar que, no surgimento da psicose, ocorresse algo análogo ao processo da neurose, mas claro que entre outras instâncias; que também na psicose se distinguissem dois passos, dos quais o primeiro arrancaria dessa vez o Eu da realidade, enquanto o segundo procuraria reparar o prejuízo e restabelecer a relação com a realidade às custas do Isso. Realmente há algo análogo na psicose a ser observado: há também nela dois passos, dos quais o segundo traz em si o caráter da reparação; acontece que essa analogia cede a uma semelhança muito mais ampla entre os processos. O segundo passo da psicose também procura compensar a perda de realidade, não às custas de uma limitação do Isso – como a neurose fazia às custas de uma ligação real –, mas por outro caminho, mais autocrático, através da criação de uma nova realidade, que não apresenta mais o mesmo embate da realidade abandonada. Portanto, o segundo passo na neurose, como na psicose, sustenta-se nas mesmas tendências; em ambos os casos, ele serve à ânsia por poder do Isso, que não se deixa intimidar pela realidade. Tanto a neurose quanto a psicose são a expressão da rebelião do Isso contra o mundo exterior, seu desprazer, ou, se preferirem, sua incapacidade de se adequar à necessidade real, à Ananké [Ανάγκη]. Neurose e psicose distinguem-se muito mais entre si na primeira reação introdutória do que na subsequente tentativa de reparação.

A distinção inicial se expressa no resultado final da seguinte maneira: na neurose uma parte da realidade é evitada por uma espécie de fuga, enquanto na psicose ela é reestruturada. Dito de outro modo: na psicose, segue-se à fuga inicial uma fase ativa de reestruturação; na neurose, à obediência inicial segue-se uma posterior tentativa de fuga. Dito ainda de outro modo: a neurose não recusa [*verleugnet*] a realidade, apenas não quer saber nada sobre ela; a psicose a recusa e procura substituí-la. Chamamos de normal ou "saudável" uma conduta que reúna determinados traços de ambas as reações: que recuse tão pouco a realidade como a neurose, mas que se esforce, como a psicose, para modificá-la. Essa conduta adequada e normal leva, naturalmente, a um esforço de trabalho no mundo externo e não se satisfaz, como a psicose, com a produção de alterações internas; ela não é mais *autoplástica*, mas *aloplástica*.

A reelaboração da realidade na psicose ocorre nos sedimentos psíquicos dos vínculos até então mantidos com ela, isto é, nos traços mnêmicos, representações e julgamentos que dela se obteve até então, e através dos quais ela é representada na vida psíquica. Esse vínculo, no entanto, nunca se completou; ele foi continuamente enriquecido e alterado por novas percepções. Com isso, também se coloca para a psicose a tarefa de procurar para si as percepções que corresponderiam à nova realidade, o que é alcançado fundamentalmente pela via da alucinação. Se as confusões de memória, as formações delirantes e as alucinações apresentam – em tantas formas e casos de psicoses – esse caráter extremamente penoso, e se estão ligadas ao desenvolvimento de angústia, esse é, sem dúvida, o sinal de que todo o processo de reconfiguração se consuma diante de forças contrárias altamente poderosas. Podemos construir o processo de acordo com o modelo da neurose, que nos é mais familiar. Vemos, nesse caso, que sempre que a pulsão recalcada realiza um avanço há uma reação de angústia [*Angst*] e que o resultado do conflito é apenas um compromisso, imperfeito, enquanto satisfação

NEUROSE, PSICOSE, PERVERSÃO 283

[*Befriedigung*]. É provável que na psicose a parte de realidade rechaçada se imponha repetidamente à vida psíquica – assim como o fez a pulsão recalcada na neurose –, e é por isso que também são idênticas as consequências em ambos os casos. O esclarecimento dos diferentes mecanismos que na psicose devem levar a cabo o afastamento da realidade e uma reconstrução desta, bem como do grau de êxito que possam alcançar, ainda é uma tarefa não assumida pela Psiquiatria especializada.

Portanto, outra analogia entre neurose e psicose é que, em ambas, a tarefa empreendida no segundo passo fracassa parcialmente, porque a pulsão recalcada não consegue encontrar um substituto completo (neurose), e o que representa a realidade [*Realitätsvertretung*] não se deixa verter nas formas satisfatórias (pelo menos não em todas as modalidades de enfermidades psíquicas). Mas as ênfases nos dois casos são distribuídas de maneira diferente. Na psicose, a ênfase incide integralmente no primeiro passo, que é patológico em si e que só pode levar ao adoecimento; na neurose, por sua vez, ela recai sobre o segundo – o fracasso do recalcamento [*Verdrängung*] –, enquanto o primeiro passo pode alcançar êxito, e o alcança inúmeras vezes nos limites da saúde, se bem que não o faz sem custos nem sem deixar atrás de si indícios do gasto psíquico exigido. Essas diferenças, e talvez muitas outras, constituem as consequências da diversidade tópica na situação inicial do conflito patógeno: se aí o Eu se rendeu à sua lealdade ao mundo real ou à sua dependência do Isso.

A neurose se contenta, via de regra, com evitar a parte correspondente da realidade e proteger-se do encontro com ela. Contudo, a diferença crucial entre neurose e psicose é enfraquecida pelo fato de que na neurose não faltam tentativas de substituir a realidade indesejada por uma mais de acordo com o desejo. Essa possibilidade é franqueada pela existência de um *mundo de fantasia* [*Phantasiewelt*], de um setor que foi separado do mundo externo real no momento da instauração do princípio de realidade e que, desde então, é mantido livre, como uma espécie de "reserva" contra as exigências da necessidade da vida e que não é inacessível ao Eu, mas ligado a ele apenas frouxamente. Desse mundo de fantasia a neurose retira o material para as suas novas formações de desejo e normalmente o encontra no caminho da regressão a um real período anterior, mais satisfatório.

Dificilmente se pode duvidar que o mundo da fantasia na psicose desempenhe o mesmo papel, que aqui ele também configure o reservatório de onde se recolhem a matéria e o protótipo para a construção da nova realidade. Mas enquanto o fantástico novo mundo externo da psicose quer se alojar no lugar da realidade exterior, o da neurose, por sua vez, gosta de se apoiar, como a brincadeira da criança, em uma parte da realidade – diferente daquela contra a qual foi preciso se defender – e lhe empresta um significado especial e um sentido secreto que chamamos, nem sempre de maneira adequada, de *simbólico*. É assim que, para ambas, neurose e psicose, não apenas conta a questão da *perda de realidade*, mas também a de uma *substituição da realidade*.

NEUROSE, PSICOSE, PERVERSÃO 285

Der Realitätsverlust bei Neurose und Psychose (1924)

1924 Primeira publicação: *Internationale Zeitschrift für Psychoanalyse*, t. 10, n. 4, p. 374–379

1940 *Gesammelte Werke*, t. XIII, p. 361–368

Escrito poucas semanas depois da conclusão de "Neurose e psicose" – Abraham leu este trabalho em maio de 1924, o que sugere que foi escrito um pouco antes –, o presente artigo prolonga e complementa o que ali foi aventado. Trata-se, da mesma forma, da tentativa de extrair consequências da nova tópica psíquica para a nosografia psicanalítica.

Tanto na neurose quanto na psicose a realidade é perdida. Mas os mecanismos subjacentes são diversos, assim como os resultados dos precipitados psíquicos: a fantasia, para a neurose; o delírio, na psicose.

Neste artigo, Freud opõe neurose e psicose em termos de seus mecanismos psíquicos preponderantes. Contudo, o recurso ao original alemão permite restituir um emprego que, pelo menos à primeira vista, parece contradizer uma leitura demasiado estrita da vinculação dos três principais mecanismos psíquicos de negação [*Verdrängung*; *Verwerfung*; *Verleugnung*] às estruturas clínicas freudianas (neurose, psicose, perversão). Com efeito, em pelo menos duas ocorrências centrais neste artigo Freud opõe a neurose à psicose com relação ao modo como ambas lidam com a *Verleugnung*, mecanismo que, em geral, associamos à perversão. Diz ele: "a neurose não recusa [*verleugnet... nicht*] a realidade, apenas não quer saber nada sobre ela; a psicose a recusa [*verleugnet*] e procura substituí-la".

NOTAS

[1] Também passível de ser compreendido como "recalcamento pulsional". (N.R.)

[2] Nesta passagem, o mecanismo psíquico da *Verleugnung* é referido à psicose, e não à perversão, como faria supor uma leitura demasiado estrita da vinculação dos três principais mecanismos psíquicos de negação às estruturas clínicas freudianas. (N.E.)

O PROBLEMA ECONÔMICO DO MASOQUISMO (1924)

É perfeitamente razoável, numa ótica econômica, designarmos como enigmática a existência de um anseio masoquista na vida pulsional humana. Pois, se o princípio de prazer domina os processos psíquicos de tal modo que sua meta primeira é a evitação do desprazer e o ganho de prazer, então o masoquismo passa a ser incompreensível. Se a dor e o desprazer não mais constituem advertências, mas se tornam eles próprios as metas, o princípio de prazer fica paralisado; o guardião da nossa vida psíquica fica como que narcotizado.

Assim, o masoquismo se nos apresenta sob a luz de um grande perigo, o que de forma alguma vale para a sua contraparte, o sadismo. Sentimo-nos tentados a chamar o princípio de prazer de guardião de nossas vidas, e não apenas de nossa vida psíquica. Eis então que se coloca a tarefa de pesquisar a relação do princípio de prazer com os dois tipos de pulsão que distinguimos: a pulsão de morte e a erótica (libidinal) pulsão de vida, e não poderemos avançar na consideração do problema masoquista enquanto não tivermos seguido por essa trilha.

Concebemos, como se pode lembrar,[i] o princípio que domina todos os processos psíquicos como um caso

---

[i] "Além do princípio de prazer" ["Jenseits des Lustprinzips"], I.

especial da *tendência à estabilidade* formulada por Fechner e assim atribuímos ao aparelho psíquico o propósito de reduzir a nada ou, pelo menos, de manter tão baixas quanto possível as somas de excitação que a ele afluem. Barbara Low sugeriu o nome de princípio de nirvana para essa suposta vertente, nome que aceitamos. Porém, identificamos apressadamente o princípio de prazer com esse princípio de nirvana: todo desprazer teria de coincidir com um aumento e todo prazer com uma diminuição da tensão dos estímulos presentes no psíquico; o princípio de nirvana (e o princípio de prazer aparentemente idêntico a ele) estaria inteiramente a serviço das pulsões de morte – cuja meta é conduzir a inquietude da vida à estabilidade do estado inorgânico – e teria a função de alertar contra as exigências das pulsões de vida, da libido, que tentam perturbar o intencionado curso da vida. Acontece que essa concepção não pode estar correta. Parece que sentimos o aumento e a diminuição das quantidades de estímulo diretamente na série das sensações de tensão, e não se pode duvidar de que existam tensões prazerosas e relaxamentos desprazerosos. A situação da excitação sexual é o exemplo mais notável de um aumento prazeroso de estímulo como esse, mas certamente não é o único. Prazer e desprazer não podem ser referidos ao aumento e diminuição de uma quantidade – que chamamos de tensão de estímulo [*Reizspannung*] –, apesar de evidentemente terem muito a ver com esse fator. Parece-me que eles não dependem desse fator quantitativo, mas de uma característica própria que só podemos descrever como qualitativa. Estaríamos muito mais adiantados na Psicologia se soubéssemos indicar qual é essa característica qualitativa. Talvez se trate do *ritmo*, do transcorrer do tempo nas alterações, elevações e quedas na quantidade de estímulo; não o sabemos.

NEUROSE, PSICOSE, PERVERSÃO 289

De qualquer maneira, precisamos ter claro que, no ser vivo, o princípio de nirvana – pertencente à pulsão de morte – sofreu uma modificação, através da qual ele se tornou princípio de prazer e, de agora em diante, evitaremos considerar ambos os princípios como um. Aliás, se quisermos acompanhar essa reflexão, não será difícil intuir de qual força partiu essa modificação. Só pode se tratar da pulsão de vida, a libido, que impôs sobremaneira sua participação junto à pulsão de morte na regulação dos processos de vida. *Assim*, obtemos uma pequena, mas interessante série de relações: o princípio de *nirvana* expressa a tendência da pulsão de morte, o princípio de *prazer* representa a exigência da libido e sua modificação, o princípio de *realidade*, a influência do mundo exterior.

Nenhum desses três princípios é, na verdade, destituído pelos outros. Eles sabem, em geral, como conviver uns com os outros, embora ocasionalmente surjam conflitos, pelo fato de que, de um lado, estabelece-se como meta o rebaixamento quantitativo da carga de estímulo, e de outro, uma característica qualitativa deste, e, finalmente, um adiamento da descarga de estímulo e uma aceitação temporária da tensão desprazerosa.

A conclusão dessas considerações é que a descrição do princípio de prazer como guardião da vida não pode ser rejeitada.

Voltemos ao masoquismo. Ele se oferece à nossa observação em três configurações: como uma contingência da excitação sexual, como a expressão da essência feminina e como uma norma da conduta de vida [*behaviour*]. Correspondentemente, podemos distinguir um masoquismo *erógeno*, um *feminino* e um *moral*. O primeiro, o masoquismo erógeno, o prazer da dor [*Schmerzlust*], também se encontra na base das outras duas formas; ele pode ser justificado biológica e constitucionalmente, e permanece incompreensível, a menos que se decida fazer suposições sobre assuntos bem obscuros. A terceira forma de manifestação do masoquismo – em certos aspectos a mais importante, só recentemente considerada pela Psicanálise como sentimento de culpa [*Schuldgefühl*], em geral, inconsciente – já permite, porém, uma completa explicação e inserção no restante de nosso conhecimento. O masoquismo feminino, ao contrário, é o mais acessível à nossa observação, o menos enigmático, e pode ser examinado em todas as suas relações. É com ele que iniciaremos nossa apresentação.

Conhecemos esse tipo de masoquismo no homem (ao qual aqui me limito em razão do material de que disponho) a partir de suficientes fantasias de pessoas masoquistas (e frequentemente impotentes por isso), cujas fantasias terminam no ato masturbatório ou constituem para elas próprias a satisfação sexual. As atividades reais dos perversos masoquistas coincidem perfeitamente com as fantasias, sejam elas executadas com um fim em si mesmas ou sirvam para produzir potência e iniciar o ato sexual. Em ambos os casos – as atividades são apenas a execução lúdica[1] das fantasias – o conteúdo manifesto é: ser amordaçado, amarrado, dolorosamente espancado, açoitado, de alguma maneira maltratado, forçado à obediência incondicional, sujado e humilhado. Muito mais raras, e só com grandes limitações, são também inseridas mutilações dentro desse conteúdo. A interpretação mais imediata e fácil de se obter é que o masoquista quer ser tratado como uma criança pequena, desamparada e dependente, mas, em especial, como uma criança malcomportada. É desnecessário acrescentar casos, pois o material é bastante homogêneo e acessível a qualquer observador, mesmo ao não analista. Mas se temos a oportunidade de estudar casos nos quais as fantasias masoquistas sofreram uma elaboração [*Verarbeitung*] especialmente rica, talvez se descubra facilmente que elas transpõem a pessoa a uma situação característica da feminilidade, portanto, significam: ser castrado, ser possuído sexualmente ou dar à luz. É por isso que eu chamei de feminina, de certo modo *a potiori*,[2] essa forma de manifestação do masoquismo, apesar de tantos de seus elementos apontarem para a vida infantil. Essa sobreposição do infantil e do feminino receberá mais adiante seu esclarecimento simples. Nas fantasias, a castração ou a cegueira, sua representante, deixou seu vestígio negativo na condição de que não pode haver nenhum dano justamente aos genitais ou aos olhos (as torturas masoquistas raramente causam uma impressão tão séria quanto as crueldades – fantasiadas ou atuadas – do sadismo). No conteúdo manifesto das fantasias masoquistas também se manifesta um sentimento de culpa, do qual se supõe que a referida pessoa teria quebrado alguma coisa (o que é deixado indefinido), o que deve ser expiado mediante todos os procedimentos dolorosos e crueldades. Isso parece uma racionalização superficial dos conteúdos masoquistas, mas por detrás se esconde a ligação com a masturbação infantil. Além disso, esse fator de culpa remete à terceira forma, o masoquismo moral.

O masoquismo feminino que descrevemos baseia-se inteiramente no masoquismo primário, erógeno, no prazer da dor, cuja explicação não será bem-sucedida sem nos remetermos em amplo retrospecto quanto às nossas considerações.

Afirmei – nos *Três ensaios sobre a teoria sexual*, no capítulo sobre as fontes da sexualidade infantil, que a excitação sexual, em uma longa série de processos internos, surge como efeito colateral, tão logo a intensidade desses processos tenha apenas ultrapassado certos limites quantitativos. E que, talvez, nada de considerável importância aconteça no organismo que não contribua com algum componente para a excitação da pulsão sexual. De acordo com isso, a excitação da dor e do desprazer teria essa mesma consequência. Essa coexcitação libidinal, no caso de tensão da dor e do desprazer, seria um mecanismo fisiológico infantil que logo se esgotaria. Ela atingiria – nas diferentes constituições sexuais – um grau diferente de desenvolvimento; em todo caso, forneceria a base fisiológica que seria construída psiquicamente como masoquismo erógeno.

A insuficiência dessa explicação se revela, contudo, no fato de não lançar nenhuma luz sobre as relações regulares e estreitas do masoquismo com sua contraparte na vida pulsional, o sadismo. Se retrocedemos mais um pouco até a suposição dos dois tipos de pulsão que consideramos operantes no ser vivo, chegamos a outra derivação que, no entanto, não contradiz a mencionada acima. Nos seres vivos (pluricelulares), a libido se enfrenta com a pulsão de morte ou de destruição neles dominante, que procura desintegrar esse ser celular e levar cada um dos organismos elementares ao estado da estabilidade inorgânica (mesmo que esta seja apenas relativa). Sua tarefa é tornar inofensiva essa pulsão destrutiva, e ela a desempenha desviando-a em grande parte – e logo com a ajuda de um sistema orgânico especial, a musculatura – para fora, contra os objetos do mundo exterior. Recebe, então, o nome de pulsão de destruição [*Destruktionstrieb*], pulsão de empoderamento [*Bemächtigungstrieb*], vontade de poder [*Wille zur Macht*].[3] Uma parte dessa pulsão é colocada diretamente a serviço da função sexual, onde tem um papel importante a desempenhar. Este é o sadismo propriamente dito. Uma outra parte não compartilha dessa transposição para fora; ela permanece no organismo e lá é ligada libidinalmente, com a ajuda da coexcitação sexual mencionada; é nessa parte que temos de identificar o masoquismo erógeno originário.

Falta-nos toda e qualquer compreensão fisiológica sobre por quais caminhos e com que meios a libido realiza a domação [*Bändigung*] da pulsão de morte. No meio psicanalítico, só podemos supor que aconteça uma vasta – e, de acordo com suas proporções – variável fusão e amalgamento de ambos os tipos de pulsão, de maneira que absolutamente não devemos contar com puras pulsões de morte ou de vida, mas apenas com combinações de diferentes magnitudes de ambas. É possível que, sob determinados efeitos, à fusão das pulsões corresponda uma desfusão delas. Não é possível intuir a extensão das partes das pulsões de morte que se subtraem a essa domação que ocorreu por meio da ligação com complementos libidinais.

Se estivermos dispostos a tolerar alguma imprecisão, podemos dizer que a pulsão de morte atuante no organismo – o sadismo originário [*Ursadismus*] – seria idêntica ao masoquismo. Depois que sua parcela principal foi deslocada para fora, na direção dos objetos, permanece no interior, como resíduo, o verdadeiro masoquismo erógeno, que, por um lado, tornou-se um componente da libido, e, por outro, ainda toma o próprio ser como objeto. Assim, esse masoquismo seria uma testemunha e um resquício daquela fase de formação em que ocorreu a confluência – tão importante para a vida – entre pulsão de morte e Eros. Não ficaremos espantados ao ouvir que, sob certas circunstâncias, o sadismo – ou pulsão de destruição – voltado e projetado para fora, pode ser novamente voltado e introjetado para dentro, de modo que regride à sua situação anterior. Isso resulta, então, no masoquismo secundário, que se somaria ao originário.

O masoquismo erógeno acompanha a libido em todas as suas fases de desenvolvimento e delas retira as suas próprias e variadas roupagens psíquicas. O medo [*Angst*] de ser devorado pelo animal totêmico (pai) origina-se da organização oral primitiva; o desejo de ser surrado pelo pai, da fase seguinte, a sádico-anal; como precipitado do estágio fálico de organização,[i] entra a castração no conteúdo das fantasias masoquistas – apesar de posteriormente recusada [*verleugnet*]; e da organização genital definitiva derivam, naturalmente, as situações de ser possuído sexualmente e de dar à luz, características da feminilidade. Também é fácil entender o papel das nádegas no masoquismo, independentemente das causas reais e óbvias. As nádegas são a parte erógena preferida do corpo na fase sádico-anal, assim como a mama o é na fase oral, e o pênis, na genital.

A terceira forma de masoquismo, o masoquismo moral, é, sobretudo, notável por ter afrouxado sua relação com aquilo que chamamos de sexualidade. Via de regra, em todos os sofrimentos masoquistas está implícita a condição de que venham da pessoa amada e de só serem suportados por partirem de sua estrita ordem verbal; essa restrição desaparece no masoquismo moral. O que conta é o próprio sofrimento; não faz diferença se este parte da pessoa amada ou de uma pessoa qualquer; caso o sofrimento seja ainda provocado por forças ou circunstâncias impessoais, o verdadeiro masoquista sempre oferece a sua

---

[i] Cf. "Die infantile Genitalorganisation" [*Ges. Werke*, Bd. XIII]. [nesta coleção, "A organização genital infantil" fará parte do volume *Amor, sexualidade e feminilidade* (N.E.)].

NEUROSE, PSICOSE, PERVERSÃO 295

face quando vê a oportunidade de receber uma bofetada. Na explicação dessa conduta, estamos quase deixando de lado a libido e nos limitando a supor que, nesse caso, a pulsão de destruição foi novamente direcionada para dentro e atua agora violentamente contra a própria pessoa. Contudo, deve haver um sentido no fato de o uso linguístico também não ter abandonado a relação dessa norma de conduta de vida com o erotismo e chamar de masoquistas aqueles que causam danos a si próprios.

Fiéis a um hábito técnico, vamos nos ocupar primeiro com a forma extrema e, sem dúvida, patológica desse masoquismo. Em outro trabalho,[i] expusemos que no tratamento analítico nos deparamos com pacientes cuja conduta diante das influências do tratamento nos força a lhes atribuir um sentimento de culpa "inconsciente". Na ocasião, indiquei em que se reconhecem essas pessoas ("a reação terapêutica negativa") e também não deixei de mencionar que a intensidade de uma moção como essa representa uma das mais graves resistências e o maior perigo para o êxito de nossos propósitos médicos ou pedagógicos. O apaziguamento [*Befriedigung*] desse sentimento inconsciente de culpa é, talvez, o bastião mais poderoso do ganho da doença [*Krankheitsgewinn*], geralmente composto da soma de forças que luta contra o restabelecimento e não quer desistir da doença; o sofrimento que a neurose traz consigo é exatamente o fator que a torna valiosa para a tendência masoquista. É também instrutivo descobrir que, contra toda teoria e expectativa, uma neurose que resistiu a todo o esforço terapêutico pode desaparecer, se a pessoa cai na miséria de um casamento infeliz, perde

---

[i] "O Eu e o Isso" ["Das Ich und das Es"] (1923) [nesta coleção, no volume *Conceitos fundamentais da psicanálise* (N.E.)].

seu patrimônio ou contrai uma grave doença orgânica. Uma forma de sofrimento foi, então, dissolvida na outra, e percebemos que só importou conservar uma certa dose de sofrimento.

Os pacientes não acreditam facilmente em nós sobre o sentimento inconsciente de culpa. Eles sabem bem demais com que tormentos (remorsos) se expressa um sentimento consciente de culpa, uma consciência de culpa, e por isso não conseguem admitir que abrigariam em si mesmos moções bastante análogas sem delas nada perceber. Em certa medida, penso que podemos dar razão ao seu protesto se desistirmos da denominação – de qualquer forma – psicologicamente incorreta de "sentimento inconsciente de culpa" e, em vez disso, dissermos "necessidade de punição", com a qual podemos recobrir o assunto observado de maneira igualmente adequada. Porém, não podemos deixar de avaliar e localizar esse sentimento inconsciente de culpa [*unbewußte Schuldgefühl*] de acordo com o modelo do sentimento consciente.

Tínhamos atribuído ao Super-Eu a função da consciência [*Gewissens*] e reconhecido, no sentimento consciente de culpa [*Schuldbewußtsein*], a expressão de uma tensão entre Eu e Super-Eu. O Eu reage com sentimentos de angústia (angústia pela consciência pesada) [*Gewissensangst*] à percepção de que ficou aquém das exigências que lhe dirige seu ideal, seu Super-Eu. Agora queremos saber como é que o Super-Eu chegou a esse papel exigente e por que o Eu precisa se angustiar no caso de haver uma diferença com seu ideal.

Se dissemos que o Eu encontra sua função ao unificar e conciliar as exigências das três instâncias a que serve, então agora podemos acrescentar que, nesse caso, ele também tem no Super-Eu seu modelo a seguir. Esse Super-Eu é um representante tanto do Isso como do mundo exterior. Ele surgiu quando os primeiros objetos das moções libidinais do Isso, o casal parental, foram introjetados no Eu, ocasião em que a relação com eles foi dessexualizada, sofreu um desvio das metas sexuais diretas. Somente dessa maneira foi possível a superação do complexo de Édipo. O Super-Eu conservou características essenciais das pessoas introjetadas: seu poder, sua severidade, sua inclinação para exercer o controle e para punir. Como afirmado em outro trabalho,[i] é fácil pensar que, através da desfusão das pulsões – que acompanha essa introdução no Eu –, a severidade tenha sofrido uma intensificação. O Super-Eu – a consciência moral ativa dentro dele – só pode ser duro, cruel e inclemente contra o Eu pelo qual ele zela. Assim, o imperativo categórico de Kant[4] é o herdeiro direto do complexo de Édipo.

No entanto, as mesmas pessoas que seguem atuando como a instância consciente no Super-Eu, depois que deixaram de ser objetos das moções libidinais do Isso, também pertencem ao mundo exterior real. É daí que elas foram subtraídas; seu poder, atrás do qual se escondem todas as influências do passado e da tradição, foi uma das primeiras e mais sensíveis manifestações da realidade. Graças a essa coincidência, o Super-Eu, o substituto do complexo de Édipo, torna-se o representante do mundo exterior real e, dessa forma, o modelo para o anseio [*Streben*] do Eu.

Tal como já supusemos historicamente,[ii] o complexo de Édipo comprova, então, ser a fonte de nossa *eticidade*[5] *individual* (Moral). No decorrer do desenvolvimento

---

[i] "O Eu e o Isso" ["Das Ich und das Es"].

[ii] *Totem e tabu* [*Totem und Tabu*], Cap. IV.

infantil, que leva a uma progressiva separação dos pais, a significação pessoal dos pais para o Super-Eu passa para um segundo plano. Às suas *Imagines*[6] se vinculam, então, as influências de professores, autoridades, modelos escolhidos e heróis socialmente reconhecidos, cujas personagens [*Personen*] não mais precisam ser introjetadas pelo Eu que se tornou mais resistente. A última figura dessa série, que havia sido iniciada pelos pais, é o obscuro poder do destino, que apenas poucos de nós conseguem compreender como impessoal. Nada temos a objetar ao poeta holandês Multatuli[i,7] quando substitui a Μοιρα [Moira] dos gregos pelo par de deuses Λόγος και Άνανκη [Razão e Necessidade];[8] no entanto, todos aqueles que transferem a orientação dos acontecimentos do mundo à Providência, a Deus ou a Deus e à Natureza despertam a suspeita de que ainda consideram esses poderes extremos e longínquos como um casal parental – mitologicamente – e se creem ligados a eles por meio de laços libidinais. Em "O Eu e o Isso" fiz a tentativa de também derivar de uma concepção parental do destino como essa o medo real que os seres humanos têm da morte. Parece ser muito difícil livrarem-se dele.

Após esses preparativos, podemos retornar para a apreciação do masoquismo moral. Havíamos afirmado que as pessoas em questão, por meio de sua conduta no tratamento e na vida, despertam a impressão de serem demasiado inibidas moralmente, de estarem sob o domínio de uma consciência moral especialmente sensível, apesar de nada dessa supermoral [*Übermoral*] lhes ser consciente. Todavia, em uma observação mais cuidadosa, percebemos bem a diferença que separa essa extensão inconsciente

---

[i] Ed. Douwes Dekker (1820-1887).

da moral e o masoquismo moral. Na primeira, a ênfase recai sobre o sadismo exacerbado do Super-Eu, ao qual o Eu se submete; no último, ao contrário, sobre o próprio masoquismo do Eu, que anseia por castigo, seja do Super-Eu, seja dos poderes parentais exteriores. Nossa confusão inicial pode ser desculpada, pois, nas duas vezes, trata-se de uma relação entre o Eu e o Super-Eu ou entre poderes equivalentes a este último; em ambos os casos, o que está envolvido é uma necessidade que é apaziguada por meio de castigo e sofrimento. Não se configura, portanto, como um detalhe insignificante o fato de o sadismo do Super-Eu se tornar quase sempre gritantemente consciente, enquanto o anseio masoquista do Eu permanecer, via de regra, oculto para a pessoa e ter de ser deduzido por sua conduta.

A inconsciência do masoquismo moral leva a uma pista fácil de seguir. Poderíamos traduzir a expressão "sentimento inconsciente de culpa" por necessidade de punição que venha de um poder parental. Sabemos também que o desejo de ser surrado pelo pai, tão frequente em fantasias, está muito próximo de outro, o de entrar em ligação sexual passiva (feminina) com ele, o que não é mais do que uma desfiguração regressiva deste último. Se inserirmos esse esclarecimento no conteúdo do masoquismo moral, seu sentido secreto nos ficará evidente. A consciência moral e a moral nasceram da superação, da dessexualização do complexo de Édipo; através do masoquismo moral, a moral será novamente sexualizada, o complexo de Édipo será reanimado, e se abre a via de uma regressão da moral para o complexo de Édipo. Isso não redunda em vantagem para a moral ou para o indivíduo. É verdade que o indivíduo pode ter conservado, ao lado de seu masoquismo, a totalidade ou determinada medida de eticidade, mas também é possível que boa parte de sua consciência moral tenha se perdido no masoquismo. Por outro lado, o masoquismo cria a tentação para uma ação "pecaminosa", que depois precisa ser expiada por meio das críticas da consciência moral sádica (como no caso de tantos tipos russos de caráter) ou através do castigo corporal do grande poder parental do destino. Para provocar o castigo através deste último representante parental, o masoquista precisa fazer coisas inapropriadas, trabalhar contra seu próprio benefício, destruir as perspectivas que a ele se abrem no mundo real e, eventualmente, aniquilar sua própria existência real.

A reversão do sadismo contra a própria pessoa ocorre regularmente por ocasião da *repressão cultural* das pulsões [*kulturellen Triebunterdrückung*], que impede que uma grande parte dos componentes pulsionais destrutivos da pessoa seja utilizada no mundo. É possível imaginar que essa parte recolhida da pulsão de destruição aparece no Eu como uma intensificação do masoquismo. No entanto, os fenômenos da consciência moral permitem afirmar que a destruição que retorna do mundo exterior – mesmo sem essa transformação – pode ser acolhida pelo Super-Eu e aumentar seu sadismo contra o Eu. O sadismo do Super-Eu e o masoquismo do Eu se completam um ao outro e se unem para a promoção dos mesmos resultados. Creio que só assim podemos entender que da repressão da pulsão [*Triebunterdrückung*] resulte – frequentemente ou de maneira geral – um sentimento de culpa, e que a consciência moral se torne tanto mais severa e suscetível quanto mais a pessoa se abstém da agressão contra outros. Seria de se esperar que um indivíduo, ciente de que deve evitar agressões culturalmente indesejadas, tenha, por isso, uma boa consciência moral e possa supervisionar o seu Eu com menor desconfiança. Habitualmente, a coisa se apresenta como se a exigência ética fosse a primária, e a renúncia pulsional, sua consequência. Mas, nesse caso, a origem da eticidade permanece sem explicação. Na realidade parece ocorrer o inverso; a primeira renúncia pulsional é forçada por poderes exteriores e é só ela que cria a eticidade, que se expressa na consciência moral e exige outra renúncia pulsional.

É assim que o masoquismo moral passa a ser a testemunha clássica da existência da fusão pulsional [*Triebvermischung*]. Sua periculosidade se deve ao fato de derivar da pulsão de morte, de corresponder àquela sua parcela que escapou de ser voltada para fora como pulsão de destruição. Mas como, por outro lado, ele tem o valor de um componente erótico, a autodestruição da pessoa também não pode se realizar sem uma satisfação libidinal.

302 OBRAS INCOMPLETAS DE S. FREUD

Das ökonomische Problem des Masochismus (1924)

1924 Primeira publicação: *Internationale Zeitschrift für Psychoanalyse*, t. 10, n. 2, p. 121-133

1924 *Gesammelte Schriften*, t. V, p. 374-386

1940 *Gesammelte Werke*, t. XIII, p. 369-384

Redigido no inverno de 1923-1924, este artigo pode ser visto, na esteira de "Neurose e psicose" e de seu correlato, "A perda de realidade na neurose e na psicose", como um prolongamento do esforço de pensar questões de psicopatologia à luz das reformulações ocorridas entre 1920 e 1923, ou seja, entre a nova doutrina pulsional de "Além do princípio de prazer" e a nova tópica psíquica tripartite apresentada em "O Eu e o Isso". Não podemos deixar de notar que uma das raras alusões de Freud a Nietzsche ocorre neste artigo.

O artigo começa discutindo uma questão metapsicológica das mais centrais, a da relação entre os princípios fundamentais do funcionamento psíquico (princípio de prazer e princípio de realidade) e a doutrina das pulsões, reformulada a partir de 1920, com a introdução do conceito de pulsão de morte em "Além do princípio de prazer". A ênfase na dimensão econômica mostra o alcance da problematização que o fenômeno do masoquismo implica para a metapsicologia: como entender a tendência masoquista na vida libidinal se o aparelho psíquico visa evitar o desprazer e obter prazer?

Freud abordou o masoquismo nos quadros das perversões sexuais em seus *Três ensaios sobre a teoria sexual*. Voltou ao tema do masoquismo, desta vez acrescentando ao registro das perversões o prisma de seu papel na estruturação da fantasia, em seu "Bate-se numa criança". O presente artigo dá ao masoquismo um alcance metapsicológico mais amplo (ASSOUN, 2009, p. 976). Dois outros pontos a serem destacados são a retomada da teoria da coexcitação, inicialmente formulada nos *Três ensaios sobre a teoria sexual*, e o estabelecimento da posição primária do masoquismo relativamente ao sadismo, contrariamente ao que havia sido postulado em "As pulsões e seus destinos". Esses dois aspectos teóricos dão sustentação metapsicológica à tese, defendida por exemplo por Laplanche, segundo a qual o masoquismo seria a forma mais primitiva de simbolização/tradução da dimensão invariavelmente traumática da inoculação do sexual na criança.

Fato que nem sempre tem sido ressaltado em sua devida importância, chama a atenção a maneira como Freud mobiliza um caso clínico de um paciente homem para ilustrar sua análise do masoquismo feminino, o que mostra como gênero não se confunde nem com posição sexual nem com sexo anatômico.

NEUROSE, PSICOSE, PERVERSÃO **303**

A posteridade do texto é digna de nota. Helene Deutsch (1930) abordou, de um ponto de vista funcional, o masoquismo como uma etapa na constituição da feminilidade, na medida em que deve abandonar a posição fálica. Freud refere-se a esse trabalho em seu texto de 1931, "Sobre a sexualidade feminina". Sacha Nacht, em 1938 (*Le Masochisme*), e Theodor Reik, em 1949 (*Masochism in Modern Man*), escreveram sobre diferentes aspectos do problema do masoquismo, o primeiro enfatizando aspectos históricos e clínicos, o segundo enfatizando sua fenomenologia no homem moderno. Uma crítica vigorosa da concepção freudiana que teve grande repercussão foi a publicação de *Présentation de Sacher-Masoch*, de Gilles Deleuze, que sugere a heterogeneidade formal entre o sadismo e o masoquismo.

DELEUZE, G. *Présentation de Sacher-Masoch*. Paris: Minuit, 1967 • DEUTSCH, H. Der feminine Masochismus und seine Beziehung zur Frigidität. *Internationale Zeitschrift für Psychoanalyse*, n. 16, 1930 • NACHT, S. *Le Masochisme*: étude historique, clinique psychogénétique et thérapeutique. Paris: Denoel, 1938 • REIK, T. *Masochism in Modern Man*. New York: Farrar, 1949

NOTAS

[1] *spielerische Ausführung*. O adjetivo *spielerisch* deriva do verbo *spielen* ou do substantivo *Spiel*. Assim como no caso de *to play* em inglês, ou *jouer* em francês, tal noção dá conta tanto do "jogar" e do "brincar", quanto do "atuar" cenicamente (além de servir para designar o *tocar* um instrumento musical). Usamos aqui o adjetivo de origem latina *lúdico* (*Ludus* – jogo/brincadeira) como aquele que em português melhor preserva a polissemia das outras línguas europeias. (N.R.)

[2] Locução latina. Definir algo *a potiori* é definir algo considerando aquilo que é mais importante, mais relevante naquela coisa. (N.E)

[3] *Wille zur Macht* – noção tornada célebre por Friedrich Nietzsche. (N.R.)

[4] Kant criticou todos os sistemas de filosofia moral anteriores a ele por se apoiarem em imperativos *hipotéticos*, i.e., que estabelecem finalidades para a ação ("Aja de tal modo, com a finalidade de... ser feliz; ou ser salvo; etc.). Por serem condicionados por finalidades, tais imperativos não seriam livres. A única maneira, segundo Kant, de agir moralmente, de realizar a liberdade seria, paradoxalmente, agir por amor ao dever. Na sua fórmula mais canônica, o imperativo categórico pode

304 OBRAS INCOMPLETAS DE S. FREUD

ser formulado assim: "Age de tal modo que a máxima de tua vontade possa sempre ao mesmo tempo valer como princípio de uma legislação universal" (KANT, Immanuel. *Crítica da razão prática*. Trad. Valério Rohden. São Paulo: Martins Fontes, 2002). Essa perspectiva teve grande repercussão filosófica. Em sua *Genealogia da moral*, Nietzsche diria que o imperativo categórico "cheira a crueldade". Na presente passagem, Freud também aponta a gênese psíquica do imperativo, que Kant pretendia fundado apenas na razão. (N.E)

[5] *Sittlichkeit*. Palavra reiteradamente usada neste escrito, remete ao conjunto de costumes ou condutas construídos por uma pessoa ou por um grupo de pessoas (*Sitte*). (N.E.) Em termos filosóficos, *Sittlichkeit* (eticidade) distingue-se de *Moralität* (moralidade). Essa distinção foi tornada célebre depois que Hegel distinguiu entre a moralidade, que determina a vontade subjetivamente, e a eticidade, relativa à inserção social e política do sujeito. O emprego que Freud faz do termo *Moral* entre parênteses, como sinônimo de *Sittlichkeit*, parece neutralizar essa distinção. (N.R)

[6] Forma plural para o latinismo *Imago*. (N.R.)

[7] Pseudônimo literário do escritor holandês Eduard Douwes Dekker (1820-1887), composto por duas palavras latinas que juntas significam "sofri-muito". Quando Hugo Heller pediu a Freud uma lista com a indicação de "10 bons livros", o analista interpreta o adjetivo "bom" (Cf. G. W, Nachtragsband, p. 663). No topo da lista figurava *Briefe und Werk* (Cartas e obras), de Multatuli, autor mais conhecido por seu *Max Havelaar*, que relata a violência da colonização holandesa e que também consta na biblioteca de Freud. (N.E.)

[8] Ananké é uma figura recorrente em Freud, pelo menos desde o estudo sobre Leonardo (cf. "Uma lembrança de infância de Leonardo da Vinci", nesta coleção, no volume *Arte, literatura e os artistas*). Já o par "Logos e Ananké" parece ocorrer mais tardiamente. Numa carta ao pastor Oskar Pfister, de 6 de abril de 1922, Freud refere-se à sua "terrível dualidade". Em entrevista concedida a Charles Baudouin, cita a frase de Multatuli: "Tenho dois deuses: Logos e Ananké", e acrescenta: "Assim é mais digno". (Cf. BAUDOUIN, Charles. Ma rencontre avec Freud, *Psyché*, Paris, v. 11, n. 107-108, p. 467-470, 1955. Nessa passagem, quando Freud endossa a substituição efetuada por Multatuli da Moira grega pelo par Logos e Ananké, ele, na verdade, destrona a Moira, destino inexorável, de seu reinado soberano. Além disso, a necessidade, que substitui o destino, não mais reina sozinha, mas sim em conjunção com a razão (Cf. ASSOUN, Paul-Laurent. *L'Entendement freudien*: Logos et Ananké. Paris: Gallimard, 1984). (N.E.)

A NEGAÇÃO (1925)

A maneira como nossos pacientes apresentam os pensamentos repentinos que lhes ocorrem [*Einfälle*] durante o trabalho analítico nos leva a fazer algumas observações interessantes. "Agora o senhor vai pensar que eu quero dizer algo ofensivo, mas, realmente, não tenho essa intenção". Entendemos que se trata da recusa [*Abweisung*] de um pensamento repentino que acaba de emergir, por projeção. Ou também: "O senhor pergunta quem pode ser essa pessoa no sonho. Minha mãe *não é*". Nós retificamos: portanto, é a mãe. Na interpretação, tomamos a liberdade de ignorar a negação e extrair o conteúdo puro da ideia que ocorreu. É como se o paciente tivesse dito: "Na verdade, foi a minha mãe que me ocorreu em relação a essa pessoa, mas não tenho a menor vontade de admitir que isso tenha me ocorrido".

Vez ou outra podemos conseguir chegar, de uma maneira muito cômoda, a um esclarecimento procurado sobre o recalcado inconsciente. Perguntamos: "O que o senhor considera mais improvável nessa situação? Em sua opinião, o que lhe estava mais distante naquela ocasião?". Se o paciente cai na armadilha e nomeia aquilo em que ele menos consegue acreditar, ele acaba, com isso, quase sempre confessando o correto. Uma bela contrapartida a essa experiência se apresenta pelo neurótico obsessivo, que já foi iniciado na compreensão de seus sintomas:

"Ocorreu-me outra ideia obsessiva.[1] Imediatamente me ocorreu que ela poderia significar esta determinada coisa. Mas não, não pode ser verdade, senão ela não poderia ter me ocorrido". O que ele rejeita [*verwirft*],[2] tomando essa justificativa que ouviu com atenção no tratamento, é, naturalmente, o sentido correto da nova ideia obsessiva.

Portanto, um conteúdo de representação ou de pensamento recalcado pode abrir caminho até a consciência, sob a condição de que seja *negado*. A negação é uma maneira de tomar conhecimento do recalcado; na verdade, é já uma suspensão do recalcamento [*Verdrängung*],[3] mas evidentemente não é uma admissão do recalcado [*Verdrängten*]. Podemos ver como, nesse caso, a função intelectual se separa do processo afetivo. Com a ajuda da negação, apenas uma das consequências do processo de recalcamento é revogada, a saber, a de seu conteúdo de representação não chegar à consciência. Disso resulta uma espécie de admissão intelectual do recalcado, com manutenção do essencial quanto ao recalcamento.[i] No curso do tratamento analítico produzimos, frequentemente, outra mudança muito importante e bastante estranha da mesma situação. Conseguimos vencer também a negação e estabelecer a plena aceitação intelectual do recalcado – com isso, ainda não foi suspenso [*aufgehoben*][4] o próprio processo de recalcamento.

Como é tarefa da função intelectual de juízo afirmar ou negar conteúdos de pensamento, as observações precedentes nos levaram à origem psicológica dessa função.

---

[i] O mesmo processo está na base do conhecido fenômeno da "invocação". "Que bom que faz tempo que não tenho a minha enxaqueca!". Mas esse é o primeiro prenúncio da crise, cuja iminência já se pressentiu, mas na qual ainda não se quer acreditar.

NEUROSE, PSICOSE, PERVERSÃO 307

Negar algo no juízo significa, basicamente: isso é alguma coisa que eu preferiria recalcar. A condenação[5] é o substituto intelectual do recalcamento; seu "não" é a marca característica deste, um certificado de origem, tal como o *"made in Germany"*. Por meio do símbolo da negação, o pensar se liberta das limitações do recalcamento e se enriquece de conteúdos, dos quais não pode prescindir para o seu desempenho.

A função do juízo [*Urteilsfunktion*] tem, essencialmente, duas decisões a tomar. Ela deve atribuir ou desatribuir uma qualidade[6] a uma coisa, e ela deve aceitar ou contestar a existência de uma representação na realidade.[7] A qualidade, sobre a qual se deve decidir, poderia ter sido originariamente boa ou má, útil ou nociva. Na linguagem das mais antigas pulsões orais seria assim expresso: "isto eu quero comer ou quero cuspir", e em uma tradução [*Übertragung*] mais ampla: "isto eu quero introduzir em mim e isto eu quero tirar de mim". Portanto: "isto deve estar em mim ou fora de mim". O Eu-Prazer [*Lust-Ich*] originário quer, como desenvolvi em outro lugar, introjetar-se tudo o que é *bom* e jogar fora [*werfen*] tudo o que é mau. Em princípio, o que é mau, o que é alheio ao Eu e o que se encontra fora dele é-lhe idêntico.[i]

A outra das decisões da função de juízo, aquela sobre a existência real de uma coisa representada (prova de realidade), constitui um interesse do Eu-Real definitivo [*Real-Ich(s)*], que se desenvolve a partir do Eu-Prazer inicial [*Lust-Ich*]. Agora, não se trata mais de saber se algo percebido (uma coisa) deve ou não ser acolhido no Eu,

---

[i] Cf. a esse respeito as observações em "Pulsões e seus destinos" (volume X da *Gesammelte Werke*). [Cf. *As pulsões e seus destinos*, em edição bilíngue e comentada, nesta coleção. (N.E.).]

mas se algo presente no Eu como representação pode também ser reencontrado na percepção (realidade). Como podemos ver, trata-se, novamente, da questão do fora e do dentro. O não real, o que é meramente representado, o subjetivo, é apenas interno; o outro, o que é real, está presente também no *exterior*. Nesse desenvolvimento, a consideração ao princípio de prazer foi deixada de lado. A experiência ensinou que não é apenas importante se uma coisa (objeto de satisfação) [*Befriedigungsobjekt*] possui a "boa" qualidade, portanto, se merece ser aceita no Eu, mas também se ela está lá no mundo externo, de maneira que se possa apoderar-se dela, segundo a necessidade. Para compreendermos essa progressão, é preciso que nos lembremos de que todas as representações se originam de percepções, que são repetições daquelas. Portanto, originariamente, a existência da representação já é uma garantia para a realidade do representado. A oposição entre subjetivo e objetivo não existe desde o início. Ela só se estabelece porque o pensar possui a habilidade de tornar novamente presente – por meio da reprodução na representação – algo que foi uma vez percebido, sem que o objeto exterior precise ainda estar presente. O primeiro e mais imediato objetivo da prova de realidade não é, portanto, o de encontrar na percepção real um objeto correspondente ao representado, mas sim o de *reencontrá-lo*, de se convencer de que ele ainda está presente. Outra contribuição para a separação distintiva [*Entfremdung*] entre subjetivo e objetivo baseia-se em outra faculdade da capacidade de pensar. A reprodução da percepção na representação nem sempre é sua fiel repetição; ela pode ser modificada por omissões e ser alterada por fusões de diversos elementos. A prova de realidade deve, então, controlar até onde se estendem essas deformações. Reconhecemos, no entanto, como condição

NEUROSE, PSICOSE, PERVERSÃO 309

para a instalação da prova de realidade, que tenham sido perdidos os objetos que um dia trouxeram satisfação real.

O julgar é a ação intelectual que decide sobre a escolha da ação motora, que põe fim ao adiamento do pensamento[8] e que faz a passagem do pensar ao agir. Também já tratei do adiamento do pensamento em outro lugar.[9] Ele deve ser visto como uma ação experimental, um tatear motor com mínimos dispêndios de descarga. Pensemos: onde teria o Eu praticado esse tatear anteriormente; em que ponto teria aprendido a técnica que ele utiliza agora nos processos de pensamento? Isso aconteceu na extremidade sensória do aparelho psíquico, nas percepções sensoriais. Segundo nossa hipótese, a percepção não é de forma alguma um processo puramente passivo, mas o Eu envia periodicamente pequenas quantidades de investimento ao sistema perceptivo, por meio das quais ele experimenta os estímulos externos, para de novo retirar-se depois de cada um desses avanços tateantes.

O estudo do juízo nos abre, talvez pela primeira vez, a compreensão [Einsicht] do surgimento de uma função intelectual a partir do jogo das moções pulsionais primárias. O julgar é a continuação objetivada daquilo que originariamente é realizado de acordo com o princípio de prazer: a inclusão no Eu ou a expulsão [Ausstoßung] para fora do Eu. Sua polaridade parece corresponder à oposição dos dois grupos de pulsões supostos por nós. A afirmação [Bejahung] – como substituto da união – pertence a Eros; a negação – sucessora da expulsão – pertence à pulsão de destruição. O prazer de negar em geral, o negativismo de certos psicóticos, deve provavelmente ser entendido como um sinal de desfusão pulsional [Triebentmischung], através da retração dos componentes libidinais. No entanto, o desempenho da função de julgamento só se torna possível pelo fato de que a criação do símbolo da negação permitiu ao pensar um primeiro grau de independência dos efeitos do recalcamento e, portanto, também da coerção [*Zwang*] do princípio de prazer.

A essa concepção da negação se ajusta muito bem o fato de que na análise não ocorre nenhum "não" vindo do inconsciente, e de que o reconhecimento do inconsciente por parte do Eu se expressa numa fórmula negativa. Não existe prova mais contundente da bem-sucedida descoberta do inconsciente do que quando o analisando reage com a frase: "*Não foi isso que eu pensei*" ou "*Nisso eu não pensei (nunca)*".

NEUROSE, PSICOSE, PERVERSÃO 311

Die Verneinung (1925)

1925 Primeira publicação: *Imago*, t. 11, n. 3, p. 217-221
1928 *Gesammelte Schriften*, t. X, p. 409-445
1948 *Gesammelte Werke*, t. XIV, p. 9-16

Trata-se de um texto curto, mas cuja densidade e relevância são incontestes. Foi escrito em julho de 1925 e publicado pouco mais tarde. Segundo Assoun (2009, p. 374), uma versão anterior do artigo teria por título "Die Verneinung und Verleugnung" (A negação e a recusa), mas Freud teria isolado apenas o primeiro termo, deixando o segundo para o artigo sobre o "Fetichismo".

Embora o termo *Verneinung* designe na língua alemã corrente a negação, tanto no sentido lógico e gramatical ("isto não é um cachimbo") quanto no sentido psicológico do termo ("não foi isso que eu disse"), a escola francesa preferiu ressaltar o uso especial do conceito, traduzindo-o por *dénégation*, termo que teve ampla aceitação na comunidade psicanalítica brasileira. No entanto, em sua argumentação, Freud parece fazer uso desse duplo registro – linguístico e conceitual – da negação.

No caso do "Homem dos Ratos", há uma célebre passagem em que o paciente se lembra de uma cena infantil em que fantasiara obter o amor de uma menina caso fosse vítima de uma desgraça, quando lhe ocorre pensar na morte de seu pai. Repele essa ideia imediatamente, devido ao seu conteúdo intolerável, mas nunca reconhece que essa ideia pudesse ter o estatuto de um desejo. O conteúdo do desejo recalcado só pode manifestar-se sob a forma da negação.

Quanto à repercussão deste breve artigo, destacam-se três vertentes. Numa primeira vertente, René Spitz, em seu *No and Yes: on the Genesis of Human Communication* (1957), interpreta o artigo de Freud nos quadros de uma psicologia do desenvolvimento.

Uma segunda vertente, dessa vez manifestamente crítica, com nomes como Wittgenstein e Popper, acusa a Psicanálise de ser irrefutável, apoiando-se frequentemente em passagens como a última frase do artigo: "Não existe prova mais contundente da bem-sucedida descoberta do inconsciente do que quando o analisando reage com a frase: '*Não foi isso que eu pensei*' ou '*Nisso eu não pensei (nunca)*'" (neste volume, p. 310). Segundo essa crítica, tal posicionamento buscaria tornar as proposições da Psicanálise imunes à verificação, já que "cara eu ganho, coroa você perde". O próprio Freud respondeu a essa crítica em seu artigo de 1937 ("Construções em análise"), quando lembra que assim como o analista não toma o "não" do paciente por seu valor nominal, também não se contenta com o "sim" como critério

312 OBRAS INCOMPLETAS DE S. FREUD

de validade de uma interpretação. Apenas o próprio curso do tratamento pode fornecer "confirmações indiretas", que mostram ou não a correção da interpretação.

Last but not least, uma terceira vertente, que marcou época na história da Psicanálise, concede a esse curto texto um lugar central no que ficou conhecido como "retorno a Freud". Com efeito, Jacques Lacan lê as estruturas clínicas freudianas a partir das formas de negação e seus correlativos mecanismos psíquicos. O que diz respeito diretamente ao título deste volume (*Neurose, psicose, perversão*), já que o mecanismo de negação da *Verdrängung* estaria para a neurose assim como o da *Verwerfung* estaria para a psicose e o da *Verleugnung* para a perversão. Nos três casos estaríamos diante de diferentes modalidades do mecanismo de negação (*Verneinung*). A leitura atenta dos textos que compõem este volume mostra, no entanto, que Freud emprega tais expressões principalmente quando na forma verbal, de maneira menos homogênea, ou menos exclusiva, do que se supõe (cf. nota que fecha o artigo "A perda de realidade na neurose e na psicose").

Um importante debate acerca da *Verneinung* ocorreu entre Jean Hyppolite e Jacques Lacan. Esse debate está registrado na transcrição do *Seminário I*, sobre *Os escritos técnicos de Freud*, e na revista *La Psychanalyse*, n. 1. Devido à sua importância, Lacan publicou em seus *Escritos* não apenas sua resposta a Hyppolite, mas também o próprio comentário do filósofo, na forma de apêndice.

HYPPOLITE, J. Comentário falado sobre a "Verneinung" de Freud. In: LACAN, J. *Escritos*. Rio de Janeiro: Jorge Zahar, 1998, p. 893-902 • LACAN, J. *Écrits*. Paris: Seuil, 1966 • LACAN, J. *Autres écrits*. Paris: Seuil, 2001 (Trad. bras. *Outros escritos*. Rio de Janeiro: Jorge Zahar, 2003) • SPITZ, R. *No and Yes: on the Genesis of Human Communication*. Nova York: International Universities Press, 1957.

NOTAS

[1] *Zwangsvorstellung* – o vocábulo *Vorstellung*, quando empregado num sentido teórico, tanto na Filosofia quanto na Psicanálise, tende a ser traduzido como "representação". Entretanto, trata-se também de uma palavra de uso cotidiano, próximo do que chamaríamos em português de "ideia", ou, dependendo do contexto, "noção". Nesta edição preferimos contextualizar sempre o seu uso, ainda que dando ao leitor a informação quanto ao texto-fonte de Freud. (N.R.)

NEUROSE, PSICOSE, PERVERSÃO 313

[2] *verwirft*: verbo *verwerfen* na terceira pessoa do singular no indicativo. O verbo *verwerfen*, bem como o relacionado substantivo *Verwerfung*, diz respeito àquilo que leitores de Freud, tais como Jacques Lacan, associam à forma de negação (*Verneinung*) inerente à psicose. Como o próprio Lacan sugere a tradução de *Verwerfung* por *forclusion* em francês, apoiando-se no vocabulário jurídico de sua língua de expressão, difundiram-se no Brasil as traduções por "forclusão", "foraclusão" e/ou "preclusão". Apesar dos méritos inequívocos dessa perspectiva, no presente contexto preferimos traduzir de um modo mais direto, por "rejeição"/"rejeitar". Cabe destacar que o verbo *verwerfen* é derivado de *werfen*, significando o "ato de lançar ou atirar", por exemplo, uma bola ao cesto no basquete ou uma folha de papel amassada em uma lixeira, pertencendo, pois, à linguagem corrente, e não a uma linguagem especializada (como seria a tradução por "forclusão"). (N.R.)

[3] *Verdrängung*: conforme vemos no substantivo que dá título a este escrito (*Verneinung*) e no mecanismo da *Verwerfung* (rejeição/forclusão), discutido na nota acima, há uma regularidade morfológica que se repete aqui no termo *Verdrängung* (recalque/recalcamento), bem como no vocábulo *Verleugnung* (recusa/desmentido): o uso do prefixo *Ver-*, que em alemão serve, entre outras coisas, para denotar transformação ou equívoco. Vale observarmos que os capítulos de *Psicopatologia da vida cotidiana* (1901) são designados por verbos marcados por esse prefixo, denotando sempre uma produção equivocada (Ex.: *Vergreifen*, *Versprechen*, *Verlesen*, etc.).

[4] O verbo *aufheben* remete à noção de suspender, tanto num sentido físico [*heben* – içar] quanto de uma forma mais abstrata, semelhante a anular, cessar o efeito. (N.R.)

[5] *Verurteilung*. O mesmo termo pode designar a *condenação*, que no sentido jurídico ou moral opõe-se à *absolvição*, e o *juízo negativo*, que no sentido lógico opõe-se a *juízo afirmativo*. Um juízo negativo é aquele que nega um predicado a um sujeito: "essa casa não é minha"; "[essa pessoa] não é minha mãe". Contudo, Jean Hyppolite, em seu célebre comentário a esse texto, enfatiza que o que está em jogo aqui é uma espécie de "julgar ao contrário", distinguindo entre uma "negação interna ao juízo" e uma "atitude de negação" (Cf. HYPPOLITE, J. Comentário falado sobre a "Verneinung" de Freud. In: LACAN, J. *Escritos*. Rio de Janeiro: Jorge Zahar, 1998, p.893-902). (N.E.)

[6] *Eigenschaft*. Qualidade ou propriedade. No caso, aquilo que um juízo atribui a um sujeito. Por exemplo: "essa maçã é verde", em que "verde" é a qualidade ou a propriedade atribuída pelo juízo ao sujeito. Por isso, Freud pode falar, em seguida, numa qualidade boa ou má. (N.E.)

[7] Essa distinção corresponde à distinção entre juízo atributivo ("a justiça é cega"; "o leite é morno"; "*la donna è mobile*") e juízo existencial ("não há justiça"; "isso é um seio"; "a mulher não existe"). (N.E.)

[8] *Denkaufschub*: adiamento do pensamento, ou adiamento devido ao pensamento, no sentido do genitivo subjetivo, em que o pensamento é responsável pelo adiamento, e não que o pensamento é adiado. (N.E.)

[9] Cf. particularmente "O Eu e o Isso". Os pressupostos de toda essa passagem estão estabelecidos desde 1895, no célebre *Entwurf einer psychologie*, e foram retomados posteriormente em diversos trabalhos, principalmente naqueles mais voltados à metapsicologia em sentido estrito. (N.E.)

FETICHISMO (1927)

Nos últimos anos tive oportunidade de estudar analiticamente um certo número de homens cuja escolha de objeto estaria sendo dominada por um fetiche. Não se deve pensar que foi por causa do fetiche que essas pessoas procuraram a análise, porque, mesmo que o fetiche seja, de fato, reconhecido por seus adeptos como uma anormalidade, só raramente é percebido como um sintoma de sofrimento; na maioria das vezes as pessoas estão bastante satisfeitas com ele ou até mesmo elogiam as facilidades que ele oferece à sua vida amorosa. Nesses casos, o fetiche costuma desempenhar o papel de uma descoberta auxiliar.

Peculiaridades desses casos serão omitidas por razões óbvias de publicação. Por isso, não posso mostrar de que maneira circunstâncias acidentais contribuíram para a escolha do fetiche. O caso que me pareceu mais interessante foi aquele em que um jovem elegeu um certo "brilho no nariz" [*Glanz auf der Nase*] como condição fetichista. Isso encontrou seu surpreendente esclarecimento no fato de o paciente ter sido criado na Inglaterra, mas depois ter vindo para a Alemanha, onde esqueceu quase que completamente sua língua materna. O fetiche, originado em sua primeira infância, não era para ser lido em alemão, mas em inglês; o "brilho no nariz" era, na realidade, um "olhar para o nariz" [*Blick auf die Nase*] (*glance* [inglês] = *Blick* [alemão]); portanto, o nariz era o fetiche, ao qual, aliás, por sua predileção, ele emprestou [*verlieh*][1] aquele brilho particularmente luminoso, que os outros não podiam perceber.

A informação que a análise forneceu sobre sentido e propósito do fetiche foi a mesma em todos os casos. Ela se revelou de modo tão natural e me pareceu tão convincente que estou pronto a pressupor a mesma solução para todos os casos de fetichismo. Se agora comunico que o fetiche é um substituto do pênis, certamente provocarei desapontamento. Por isso, apresso-me em acrescentar que ele não é substituto de um pênis qualquer, mas de um pênis específico e muito especial, que teve uma grande importância nos primeiros anos da infância, mas que depois foi perdido. Ou seja: normalmente ele estaria destinado a desaparecer, mas justamente o fetiche está determinado a preservá-lo do desaparecimento [*Untergang*]. Para dizê-lo mais claramente, o fetiche é o substituto para o falo da mulher [*Phallus des Weibes*] (da mãe), no qual o garotinho acreditou e do qual – sabemos o porquê – não quer abrir mão.[i]

O que ocorreu foi que o garoto se recusou [*sich geweigert hat*] a tomar conhecimento do fato concreto da sua percepção [*Wahrnehmung*]: que a mulher não possui pênis. Não, isso não pode ser verdade, pois, se a mulher é castrada, seu próprio pênis está ameaçado, e contra isso se rebela a parte do narcisismo, com o qual a natureza precavidamente dotou esse órgão. O adulto provavelmente irá vivenciar um pânico semelhante quando for proclamado que o trono e o altar estão em perigo, e esse pânico levará a consequências ilógicas semelhantes. Se

---

[i] Essa interpretação já se encontra em meu artigo de 1910, "Uma lembrança infantil de Leonardo da Vinci", embora sem justificativa [nesta coleção, incluído no volume *Arte, literatura e os artistas*, publicado em 2015 (N.E.)].

NEUROSE, PSICOSE, PERVERSÃO 317

não me engano, Laforgue diria, nesse caso, que o garoto "escotomiza"[2] a percepção da falta de pênis na mulher.[i] Um termo novo só se justifica quando ele descreve e destaca um novo estado de coisas. Não é esse o caso; a mais antiga peça da nossa terminologia psicanalítica, a palavra *recalcamento* [*Verdrängung*], já se refere a esse processo patológico. Se nele quisermos separar mais nitidamente o destino da representação [*Vorstellung*] do destino do afeto e reservar a expressão *recalcamento* para o afeto, então a palavra alemã correta para o destino da representação seria *recusa* [*Verleugnung*] *da realidade*. *Escotomização* me parece particularmente inadequado, pois evoca a ideia de que a percepção foi inteiramente apagada, de modo que seu resultado seria o mesmo de quando uma impressão visual incide sobre o ponto cego da retina. Mas nossa situação mostra, ao contrário, que a percepção permaneceu e que foi empreendida uma ação muito enérgica para sustentar a sua recusa da realidade [*ihre Verleugnung*].[3] Não está correto que a criança, após sua observação da mulher, tenha salvado, sem modificações, a crença no falo da mulher. Ela a conservou, mas também a abandonou; no conflito entre o peso da percepção indesejada e a força do desejo contrário, ela chegou a um compromisso, tal como só é possível sob o domínio das leis inconscientes de pensamento: o processo primário. Sim, para a criança

---

[i] Eu mesmo me corrijo e acrescento que tenho os melhores motivos para supor que Laforgue não diria isso absolutamente. Segundo suas próprias explicações, *escotomização* é um termo que provém da descrição da *dementia praecox*, não nasceu da transposição de uma concepção psicanalítica para as psicoses e não possui nenhuma aplicação sobre os processos de desenvolvimento e formação das neuroses. A exposição do texto se empenha em deixar clara essa incompatibilidade.

em seu psiquismo, a mulher tem, ainda assim, um pênis, mas esse pênis não é mais o mesmo de antes. Outra coisa tomou o seu lugar, pode-se dizer que ela foi nomeada para ser seu substituto, que agora é o herdeiro do interesse anteriormente dirigido ao primeiro. Esse interesse experimenta, no entanto, um aumento extraordinário, porque o horror à castração ergueu para si um monumento na criação desse substituto. Como *stigma indelebile* do recalcamento que se efetuou, permanece também o estranhamento [*Entfremdung*] contra o real órgão genital feminino, que não deixamos de ver em nenhum fetichista. Agora podemos ver com clareza do que o fetiche é capaz e como ele se mantém. Ele permanece como o signo do triunfo sobre a ameaça de castração e como a proteção contra ela; ele também salva o fetichista de se tornar um homossexual, emprestando à mulher aquela característica através da qual ela se torna suportável como objeto sexual. Posteriormente, o fetichista ainda acredita fruir de outra vantagem de seu substituto genital: o significado do fetiche não é conhecido por outras pessoas e por isso não o recusam; ele é facilmente acessível e é cômodo alcançar a satisfação sexual a ele ligada. Aquilo que os outros homens lutam por conquistar e para o qual precisam se esforçar não exige do fetichista nenhum esforço.

Nenhum ser masculino é provavelmente poupado do pavor da castração [*Kastrationsschreck*] diante da visão do genital feminino. Certamente não sabemos explicar por que alguns se tornam homossexuais como efeito dessa impressão, enquanto outros se defendem dela criando um fetiche, e a imensa maioria a supera. É possível que, entre todas as condições em ação, ainda não conheçamos aquelas que são decisivas para os raros desenlaces patológicos; além disso, devemos nos contentar se conseguirmos explicar o que aconteceu e nos autorizar a deixar de lado a tarefa de explicar por que algo não aconteceu.

Seria de esperar que, em substituição ao falo ausente na mulher, fossem escolhidos órgãos ou objetos que, em geral, também representariam o pênis como símbolos [als Symbole]. Isso pode acontecer com bastante frequência, mas certamente não é o decisivo. Na instauração do fetiche, parece muito mais que foi interrompido [eingehalten] um processo que lembra o bloqueio da memória na amnésia traumática.[4] Também nesse caso o interesse fica como que na metade do caminho: é como se fosse retida como fetiche a última impressão antes da estranha, da traumática. É assim que o pé ou o sapato devem sua eleição como fetiche – ou parte dela – à circunstância de o garoto curioso ter espiado – a partir de baixo, das pernas para cima – o genital feminino; peles e veludo fixam – como há muito tempo se suspeitou – a visão dos pelos púbicos, que deveria ter sido seguida pela desejada visão do membro feminino; as peças de roupa íntima, tão frequentemente escolhidas como fetiche, pois retêm o momento de se despir, o último no qual a mulher ainda pode ser considerada fálica. Contudo, não quero afirmar que em todos os casos se possa entender com transparente certeza a determinação do fetichismo. A investigação do fetichismo deve ser altamente recomendada àqueles que ainda duvidam da existência do complexo de castração ou que acham que o susto [Schreck] diante dos genitais femininos tem outro fundamento, por exemplo, que derivaria de uma suposta lembrança do trauma do nascimento. Para mim, o esclarecimento do fetiche teve ainda outro interesse teórico.

Recentemente, por vias puramente especulativas, cheguei à proposição de que a diferença essencial entre neurose e psicose residiria no fato de que, na primeira,

320 OBRAS INCOMPLETAS DE S. FREUD

o Eu, a serviço da realidade, reprimiria [*unterdrücke*] uma parte do Isso, enquanto na psicose ele se deixa arrastar pelo Isso, desvinculando-se de uma parte da realidade; retornei posteriormente ao mesmo tema.[i] Mas logo depois tive motivo para lamentar por ter me aventurado tão longe. Ao analisar dois meninos – de 2 e 10 anos – verifiquei que ambos não assimilaram a morte do querido pai, a "escotomizaram", e, contudo, nenhum dos dois desenvolveu uma psicose. Portanto, é certo que uma importante parte da realidade foi recusada [*verleugnet*] pelo Eu, como o faz o Eu do fetichista com o fato desagradável da castração da mulher. Comecei a perceber também que acontecimentos semelhantes na infância de modo algum são raros e pude me convencer do meu erro na caracterização da neurose e da psicose. Mas, na verdade, havia uma informação em aberto: minha fórmula precisava apenas ser válida onde houvesse um grau mais elevado de diferenciação no aparelho psíquico; seria permitido a uma criança aquilo que no caso do adulto seria punido com grave prejuízo. Entretanto, pesquisas posteriores levaram a outra solução para tal contradição.

Ficou evidente que os dois meninos haviam "escotomizado" a morte do pai tanto quanto um fetichista escotomiza a castração da mulher. Apenas uma corrente em sua vida psíquica não reconhecia a morte do pai; havia outra que se dava plena conta desse acontecimento; a corrente ligada ao desejo e a ligada à realidade coexistiam uma ao lado da outra. No caso de uma das crianças, essa cisão [*Spaltung*] se tornou a base de uma neurose obsessiva moderada; em todas as situações de sua vida ele oscilava

---

[i] "Neurose e psicose" (1924) e "A perda de realidade na neurose e na psicose" (1924). *Gesammelte Werke*, v. XIII [neste volume, na p. 271 (N.E.)].

entre duas proposições: uma em que o pai ainda está vivo e impede sua atividade e outra oposta, em que ele tem o direito de se considerar o sucessor do pai morto. Portanto, posso manter a expectativa de que, no caso da psicose, a corrente ligada à realidade teria realmente desaparecido.

Se agora retorno à descrição do fetichismo, preciso acrescentar que existem ainda inúmeras e importantes evidências da posição bifurcada[5] do fetichista frente à questão da castração da mulher. Em casos mais refinados ela está no próprio fetiche, em cuja construção tanto a recusa à realidade [Verleugnung] quanto a afirmação [Behauptung] da castração conseguiram se introduzir. Esse foi o caso de um homem cujo fetiche era uma cinta pubiana, que também pode ser usada como calção de banho. Essa peça de vestimenta escondia inteiramente os genitais e a diferença genital. De acordo com o que a análise demonstrou, ele significava tanto que a mulher é castrada como também que ela não é castrada, e, além disso, deixava em aberto a hipótese da castração do homem, pois todas essas possibilidades podiam igualmente se esconder debaixo da peça de roupa, cujo primeiro rudimento, em sua infância, fora a folha de parreira em uma estátua. Um fetiche como esse, duplamente enodado com opostos, sustenta-se particularmente bem. Em outros casos, a bifurcação se mostra naquilo que o fetichista faz – na realidade ou na fantasia – com seu fetiche. Não seria exaustivo destacar que ele venera o fetiche; em muitos casos ele o trata de uma maneira que evidentemente equivale a uma figuração da castração. Isso acontece particularmente quando se desenvolveu uma forte identificação ao pai – ao papel do pai, pois foi a ele que a criança atribuiu a castração da mulher. A ternura e a hostilidade no tratamento do fetiche – que correspondem à recusa da realidade e ao reconhecimento da castração – mesclam-se em proporções desiguais em casos diversos, de modo que uma ou outra se dá a conhecer com maior nitidez. A partir daqui, mesmo que à distância, acreditamos entender a conduta do cortador de tranças,[6] na qual a necessidade de executar a recusa da castração veio para o primeiro plano. Sua ação reúne em si as duas suposições reciprocamente inconciliáveis: a mulher conservou seu pênis e o pai castrou a mulher. Outra variante paralela ao fetichismo, no âmbito da psicologia dos povos, pode ser encontrada no costume dos chineses de primeiro mutilar e depois venerar o pé feminino como um fetiche. É como se o homem chinês quisesse agradecer à mulher por ela ter se submetido à castração.

Para concluir, autorizamo-nos a afirmar que o modelo normal do fetiche é o pênis do homem, assim como o modelo de órgão inferior é o pequeno pênis da mulher, o clitóris.

Fetischismus *(1927)*

1927 Primeira publicação: *Almanach der Psychoanalyse*, p. 17-24, 1928
1928 *Gesammelte Schriften*, t. XI, p. 374-386
1940 *Gesammelte Werke*, t. XIV, p. 309-318

Uma primeira versão deste artigo foi concluída em agosto de 1927. Ele pode ser lido como um prolongamento da discussão tornada célebre no artigo sobre a "Negação", acerca dos diferentes mecanismos da negação e suas consequências para a constituição subjetiva.

René Laforgue, um dos fundadores da Sociedade Psicanalítica de Paris, havia publicado em 1926, também na *Internationale Zeitschrift für Psychoanalyse*, um artigo intitulado "Recalcamento, escotomização e transferência", que suscitou um caloroso debate, por introduzir um mecanismo específico, diferente do recalcamento, para descrever a esquizofrenia, ao qual ele deu o nome de *escotomização*. Em carta a Eitingon, de 13 de setembro de 1927, Freud reage vigorosamente a esse termo, que lhe parece um neologismo besta (*apud* ASSOUN, 2009, p. 563). No entanto, depois de uma visita de René Laforgue, Freud resolve acrescentar uma nota que matiza a extensão de sua crítica ao conceito de escotomização, que não se aplicaria à neurose. De toda forma, torna-se imprescindível delinear com clareza o mecanismo de negação próprio às perversões, a *Verleugnung*. Se, nos artigos de 1924, Freud ainda empregava esse termo para caracterizar também a psicose (cf. Nota ao artigo "A perda de realidade na neurose e na psicose"), agora, delimita seu escopo com relação ao complexo de castração na perversão.

Não há como não lembrar que o termo alemão *Fetisch* deriva do português *feitiço*, através do francês *fétiche*, registrado em 1605 com o sentido de "sortilégio, amuleto". *Feitiço*, por sua vez deriva do latim *facticius* (artificial, fictício). No período colonial, os portugueses designavam com essa palavra os objetos inanimados cultuados por povos africanos. O termo foi difundido nas línguas europeias através do francês *fétiche*, sendo reimportado para o português. Seu emprego com conotação sexual remonta, na França, a Binet (*Le Fétichisme dans l'amour*, 1888), e, na Alemanha, a Krafft-Ebing (*Psychopathia Sexualis*, 1886).

Um notável emprego clínico do conceito de *Verleugnung* foi feito por Freud em seu estudo sobre Leonardo da Vinci (nesta coleção, no volume *Arte, literatura e os artistas*, à p. 125).

Donald Winnicott, por sua vez, buscou mostrar que o fetiche seria uma espécie de substituto coisificado dos "objetos transicionais". Por seu turno, Jacques Lacan também reivindica a concepção freudiana de fetiche como um dos étimos epistemológicos de seu conceito de *objeto a*.

324 OBRAS INCOMPLETAS DE S. FREUD

BINET, A. *Le Fétichisme dans l'amour*. Paris: Payot, 2001 • KRAFFT-EBING, R. *Psychopathia Sexualis*. Trad. francesa de Laurent e Csapo. Paris: Georges Carré Editeur, 1886 • LACAN, J. *Autres écrits*. Paris: Seuil, 2001 (Trad. bras. *Outros escritos*. Rio de Janeiro: Jorge Zahar, 2003) • LAFORGUE, R. Réfoulement, scotomisation et transfert. *Internationale Zeitschrift für Psychoanalyse*, 1926 • WINNICOTT, D. W. Transitional Objects and Transitional Phénomena. In: *Collected Papers: through Pediatrics to Psycho-Analysis*. London: Tavistock, 1958, p. 120-146

NOTAS

[1] "Emprestou... por sua predileção", para distinguir da alucinação psicótica. "Emprestar" é um ato consciente de atribuição, essencial no fetichismo. (N.T.)

[2] René Laforgue (1894-1962) utiliza esse termo para explicar um processo próprio à psicose. Trata-se da anulação completa de uma percepção intolerável. Escotoma (do grego *scotoma*, escuridão) é uma região do campo visual que apresenta perda total ou parcial da acuidade visual. (N.T.)

[3] Segundo Freud, além de a percepção permanecer, é preciso um grande esforço do sujeito para manter a operação da *Verleugnung*. Aqui temos um *duplo movimento* no qual a percepção indesejada é, ao mesmo tempo, aceita e negada. Para se elevar à condição de fetiche, passando por um recalcamento parcial, o complexo representativo deve inicialmente ser capaz de substituir um objeto *inexistente*, a saber, o pênis feminino. No entanto, só posso substituir algo inexistente se eu for capaz de "recusar a sua realidade". É para viabilizar tal operação que encontramos aquilo que Freud chama de *Verleugnung*. Normalmente esse termo é traduzido em português por "desmentido" devido à sua proximidade com palavras alemãs como *Lüge* (mentira) e *ableugnen* (desautorizar). Mas, no presente texto, a especificidade dessa forma de negação vem do fato de ela, contrariamente ao recalcamento [*Verdrängung*] neurótico ou à negação (rejeição [*Verwerfung*]) psicótica, não ser solidária de alguma forma de "não saber". Não se trata aqui de recalcar ou expulsar o saber sobre a castração e sobre o vazio de objeto que ela impõe. Estamos diante de um *movimento duplo*, no qual saber e não saber podem coexistir (*es hat ihn bewahrt, aber auch aufgegeben* – ela a conservou, mas também a abandonou). Portanto, em vez do saber marcado pelo esquecimento próprio ao recalcamento, a *Verleugnung* será uma contradição posta que é, ao mesmo tempo,

contradição resolvida. Dois julgamentos contraditórios estão presentes no Eu, mas sem que o resultado de tal contradição seja um nada (SAFATLE, V. *Fetichismo: colonizar o Outro*. Rio de Janeiro: Civilização Brasileira, 2010, p. 83-84). (N.T.)

4 O bloqueio da memória na amnésia traumática é um mecanismo também presente na estrutura das lembranças encobridoras, em que fica retida a última impressão, anterior a uma imagem investida libidinalmente, tal como Freud exemplifica na continuidade do texto. O que constitui o fetiche é o momento em que, tal como na lembrança encobridora, a imagem se detém na impressão anterior à imagem traumática. (N.T.)

5 Traduzir por "bifurcada" ou "bicindida" a posição do Eu do fetichista é uma decisão difícil, porque o próprio Freud explica a cisão do Eu [*Ichspaltung*] com o argumento de que a castração da mulher é ali, ao mesmo tempo, afirmada e negada. Não entendo isso como uma divisão, pois, se o fetiche ali se instala, é porque a mulher, justamente, *não* perdeu o falo (a crença foi alterada, mas ao mesmo tempo foi salva, como consta do texto de Freud), e, ao mesmo tempo, é possível fazê-la perdê-lo, isto é, castrá-la, também segundo Freud, que diz: "normalmente ele [o pênis da mulher] estaria destinado a desaparecer, mas justamente o fetiche está determinado a preservá-lo do desaparecimento [*Untergang*]" (neste texto). Trata-se, portanto, não de uma divisão, de uma cisão do Eu, mas da convivência, no Eu, de dois elementos inconciliáveis. (N.T.)

6 Trata-se de um caso famoso na época, utilizado por Freud para justamente descrever e reforçar a questão da presença simultânea de "duas suposições reciprocamente inconciliáveis". As tranças, como substitutas do pênis feminino, seriam uma forma de recusar a realidade da castração, e o ato de cortá-las realiza uma castração que o próprio fetichista não reconhece ao realizar a substituição. Freud diz que essa seria uma maneira de conciliar as duas proposições contrárias: "a mulher conservou seu pênis e o pai castrou a mulher". (N.T.)

POSFÁCIO
NEUROSE, PSICOSE, PERVERSÃO: A IMPLICAÇÃO DO SUJEITO NA NOSOLOGIA FREUDIANA

Antônio Teixeira

O leitor que abrir o conjunto dos textos que compõem o presente volume, *Neurose, psicose, perversão*, encontrará toda uma série de formulações em que Freud busca desenvolver o diagnóstico diferencial das estruturas clínicas da Psicanálise, distinguindo os vários modos de adoecimento psíquico conforme os meios empregados pelo sujeito ou para manter distantes exigências pulsionais incompatíveis com os modelos identificatórios que constituem a representação que tem de si mesmo,[i] ou, para dizer com Freud, para delas se defender [*abwehren*]. Essas reflexões clínicas se desenvolvem num longo percurso que vai desde as cartas e os manuscritos que gravitam em torno de "As neuropsicoses de defesa",[ii] contemporâneos da própria invenção da Psicanálise, passa pelos trabalhos metapsicológicos sobre o luto e a melancolia, de 1917, e

---

[i] É preciso deixar claro que aqui estamos dando ao termo *representação* (no sentido de "representação do sujeito como indivíduo") um emprego absolutamente diverso daquele visado no léxico freudiano *Vorstellung*, em que a palavra *representação* é usada para designar de maneira geral elementos psíquicos que se encadeiam no pensamento ou reproduções de percepções passadas.

[ii] O texto intitulado "As neuropsicoses de defesa" será incluído em outro volume desta coleção. (N.E.)

pela célebre discussão sobre "O problema econômico do masoquismo", de 1924, e conduz até o artigo sobre o fetichismo, de 1927. Este volume contém igualmente valiosos estudos clínicos sobre os tipos de adoecimento psíquico relativo à experiência da renúncia pulsional, duas importantes discussões sobre as soluções subjetivas no quadro das perversões, além dos célebres ensaios clínico-linguísticos "Sobre o sentido antitético das palavras primitivas" e "A negação". Finalmente, ainda inclui dois estudos seminais sobre a clínica diferencial da neurose e da psicose, uma pesquisa histórico-clínica sobre um caso de suposta possessão demoníaca que teria ocorrido no século XVII, além da investigação "Sobre a psicogênese de um caso de homossexualidade feminina" e da "Comunicação de um caso de paranoia que contradiz a teoria psicanalítica".

Ao ler esses admiráveis ensaios clínicos com nosso olhar de hoje, esse olhar profundamente transformado pelas modificações que a luz freudiana imprimiu sobre a própria visão contemporânea do mundo e sobre nosso lugar na civilização, com esse olhar já um tanto naturalizado pela absorção quase geral das categorias psicanalíticas na abordagem contemporânea dos mais diversos fenômenos mentais ou psíquicos, o leitor talvez não consiga estimar corretamente o valor extraordinário de sua subversão. Para ter uma ideia mais precisa da radicalidade inovadora do gesto que orienta a construção da nosologia freudiana, ser-lhe-ia necessário entender a diferença que ela gerou em relação ao contexto que a precede e sobre o qual ela incide. A esse fim, inúmeras vias se lhe apresentam. Ele poderia, por exemplo, tentar dimensionar a cisão produzida por Freud sobre as categorias psicológicas fundadas na primazia da consciência e do Eu, ao estabelecer classes sintomáticas estruturadas a partir do destino dado a representações psíquicas recusadas pela consciência. Ser-lhe-ia igualmente importante avaliar o lugar dado por Freud à sexualidade tanto na etiologia miserável do adoecimento psíquico quanto na composição das obras mais edificantes da cultura. Caberia também enfatizar a originalidade da concepção freudiana do circuito pulsional da libido, no nível da satisfação autoerótica, indiferente tanto aos critérios instrumentais da cultura quanto às normas biológicas da reprodução, assim como a percepção não moralizante da perversão como verdade do recalcamento neurótico. Valeria igualmente lembrar a mutação que a escuta clínica de Freud gerou sobre a própria percepção científica da linguagem e das categorias discursivas da realidade, além de tantas outras transformações, impossíveis de se listar nesse espaço. Uma escolha, portanto, se nos impõe.

De nossa parte, optamos por demonstrar um elemento de articulação conceitual inexplícito que funciona como denominador comum a essas transformações. Sua importância se deixa particularmente medir pelo valor operatório de uma categoria discursiva da qual Freud jamais fez um uso propriamente conceitual, mas por onde sua reflexão teórica se vincula com a prática clínica. Referimo-nos à categoria de sujeito, empregada com parcimônia por Freud, categoria cujo devido valor será conceitualmente estabelecido por Jacques Lacan. Mas, para entender o que está em jogo nessa trama conceitual do sujeito como categoria operatória implícita na nosologia freudiana, é preciso despregar os olhos da superfície do tabuleiro de xadrez e ver de cima a posição das peças.

Necessitamos nos afastar provisoriamente de nosso tema e meditar primeiramente sobre uma evidência mais genérica, que tanto ultrapassa quanto emoldura o campo psicanalítico: no âmbito da psicopatologia, o diagnóstico altera o prognóstico. Quem trabalha com o sofrimento psíquico ou mental não pode se furtar a medir o quanto o estigma produzido por uma categoria nosológica vem modificar a própria evolução da enfermidade assim definida, cujo curso encontra-se vinculado à expectativa que o paciente mantém em relação ao Outro social que o nomeia. Seja na forma da patologia histérica, que visa excitar o desejo do Outro ao fazer enigma do próprio sintoma; seja na tarefa interminável do obsessivo, que consagra sua vida a esmiuçar as regras do Outro, buscando a garantia do seu reconhecimento; seja, ainda, na perplexidade do sujeito psicótico, às voltas com as exigências obscenas do Outro, a expectativa gerada pelo diagnóstico que altera o prognóstico se formula numa mesma pergunta: O que o Outro espera de mim?

Por vezes chegamos a comparar os efeitos químicos de um medicamento com os efeitos igualmente químicos da expectativa gerada pela percepção que o paciente passa a ter de si mesmo ao receber o veredito diagnóstico, visto que existe, factualmente, uma alteração química provocada pela expectativa cientificamente demonstrada nos estudos atuais sobre o efeito placebo. Se até hoje frequentemente falamos dos efeitos de estigmatização diagnóstica, é porque por um bom tempo a solução clássica ao problema da expectativa consistia em responder à palavra pela via da marca, ao significante pela via do signo. Diante da questão significante endereçada ao sujeito a respeito do que dele espera o Outro, o estigma é o signo que fixa a resposta na forma de uma marca inscrita no corpo. Surgido no século XV como termo religioso referido às chagas de Cristo, o substantivo *stigmata* veio denotar, a partir do século XVII, a ideia do castigo que inscreve sobre a pele a marca da infâmia que define a expectativa do Outro social.

Será somente mais tarde, a partir do final do século XIX, que a conotação moral desse termo será cientificamente neutralizada, passando a receber, no vocabulário médico, o valor puramente semiológico do sinal mórbido sobre o qual se estabelece o diagnóstico de uma patologia.

Normalmente inferimos que a percepção de um fenômeno perde sua conotação moralizante quando esse mesmo fenômeno se torna objeto do discurso da ciência. Assim, o último eclipse lunar batizado de lua-de-sangue, nome aziago que na era pré-científica evocava maus presságios, em nosso tempo, colonizado pelo discurso científico, foi percebido apenas como uma curiosidade banal. Mas se o estigma difamante da doença pôde ser neutralizado no campo da medicina científica, por que, então, o opróbrio permanece ainda ligado ao sujeito diagnosticado como portador de patologia mental ou mesmo psíquica? Porque é possível até hoje insultar alguém o chamando de psicótico, de histérico ou de perverso, sem que se produza o mesmo efeito ao chamar alguém de diabético ou de hipertenso? Teríamos, então, de aguardar pela ocasião em que a objetivação científica do fenômeno mental viria neutralizar o efeito difamante ocasionado pelo diagnóstico psicopatológico, momento, enfim, em que, no lugar de nos referirmos ao sujeito melancólico, falaríamos de um caso grave de serotoninopenia, e em vez de psicose delirante, diríamos se tratar de hiperdopaminemia? Pelo tom visivelmente irônico da pergunta, já se adivinha que nossa resposta é negativa.

Na verdade, não é simplesmente em razão de uma suposta insuficiência do saber científico que o diagnóstico da patologia mental e do sofrimento psíquico resiste a ser abordado cientificamente. Há um engano em supor que a loucura se deixa constituir naturalmente como um objeto da ciência, como sucede no caso de uma reação química ou de um fenômeno físico. É necessário antes de tudo entender que se a patologia dita mental pode ser tomada como objeto do saber científico, essa objetivação dependeu de um gesto eminentemente moral, não científico, por meio do qual a ciência pôde conjurar, em sua fundação cartesiana, a possibilidade de coexistência entre loucura e racionalidade. A historiografia de Foucault demonstra-nos amplamente que racionalidade e loucura nem sempre foram dimensões excludentes; elas haviam mantido, até o início da era clássica, uma relação reversível na qual a loucura se revelava à razão na forma de sua verdade oculta. Se Aristóteles podia aproximar, no problema XXX, o homem de gênio da melancolia, é porque a loucura podia ser vista como uma espécie de paroxismo da razão. Ela ora constituía-se como sua consciência trágica, visível, por exemplo, nas telas de Bosch, ora como sua crítica irônica, celebrada no famoso *Elogio* de Erasmo de Roterdã.

Esse *tópos* da razão louca, lugar retórico da suspeita de que a construção racional do mundo pudesse, no fundo, ser ensandecida, chegou a ser tão disseminado que não se podia isolá-lo num sítio definido. Para que a loucura ganhasse seu lugar perceptivo próprio, foi necessário um gesto que a desenredasse violentamente do pensamento. Se ela pôde se constituir, a partir do final do século XVIII, como objeto de uma percepção racional positiva, sua objetivação está condicionada pelo momento anterior do século XVII, em que a construção racional do saber pôde se separar das figuras do desatino. Distintamente do ceticismo quinhentista de Montaigne, ensaísta que se recusava a construir sistemas, por desconfiar de toda base racional do pensamento, a Filosofia que se inaugura no século XVII, com René Descartes, propõe-se a edificar uma nova ciência pelo mesmo gesto que reduz a loucura ao silêncio: a "impossibilidade de ser louco" passa a ser vista como condição essencial ao exercício metódico da dúvida na procura de uma base sólida para o pensamento. Ao estabelecer, em sua origem, que a natureza pode ser objetivamente conhecida, em sua estrutura matemática, o pensamento científico moderno organizou a convicção de que o problema do engano e do erro não se encontra na racionalidade concebida nela mesma, mas somente no seu uso indisciplinado. Em vez de atacar a razão, propõe-se sua reforma, num movimento cujo eixo se desloca do *ser* para o *conhecer*, da ontologia para a epistemologia. Basta ler o título das obras dispostas na estante do século XVII, numa biblioteca de Filosofia, para perceber que todas traduzem a mesma preocupação preventiva. Seja no *Discurso do método* elaborado por Descartes, seja na *Reforma do entendimento* redigida por Espinosa, seja no *Ensaio sobre o entendimento humano* proposto por Locke, seja ainda na *Investigação acerca do entendimento* de Hume, a percepção da loucura como erro de percepção se torna objeto de uma questão recorrente: sob quais condições a razão delira?[i] Embora não caiba pormenorizar aqui, em todos os detalhes, o que foi esse longo processo de depuração da razão, é importante salientar que, em seu curso, a loucura não mais será tomada como experiência de lucidez. Diante da pergunta sobre o que o Outro espera de mim, a ciência agora responde que do louco não se deverá esperar mais nenhum pensamento. A loucura perderá sua dignidade de consciência trágica, para ser tratada como fonte de erro

---

[i] O comentário acima foi extraído de um dos cursos magistrais do professor Ricardo Fenati na Universidade Federal de Minas Gerais (UFMG).

a partir do gesto não científico de exclusão moral que a separou da razão.

Esse dado interessa-nos particularmente, porque notamos que tal movimento de exclusão moral não se deixa neutralizar através dos esforços de objetivação científica. Por mais que prática científica e prática de segregação moral estejam embasadas por discursos de natureza e finalidade estruturalmente distintas, ambas até hoje se dão as mãos quando se encontram no campo da patologia mental e do sofrimento psíquico. Em nosso entender, se o discurso ciência, cujo valor e nobreza jamais contestamos, ao ser convocado no domínio da psicopatologia, termina por fazer parte dessa infame aliança com as práticas segregacionistas, é na medida em que todo esforço de objetivação dessas patologias se coloca a serviço daqueles que visam privar o louco do valor de sua palavra. Ao definir alguém como "alienado", o discurso segregacionista apoia-se na autoridade científica para silenciar sua fala, seja excluindo-o fisicamente da comunidade, através de medidas de internação sistemática, seja tratando cientificamente sua diferença nos termos veladamente morais de comportamento inadaptado ou de déficit cognitivo. Quando se elimina a palavra do louco, objetivando sua patologia, só lhe resta o estigma das subjetividades desacreditadas de que fala Erving Goffman, em seu estudo sobre as instituições totais.

O ponto é, portanto, este: seja qual for o seu nível de êxito ou de dificuldade em tratar cientificamente o fenômeno mental, a ciência estabelece axiomaticamente, em sua fundação, que da loucura, como pensamento, nada se deve esperar, ela nada tem a dizer. Desse rechaço original se explica o fato de que toda a psicopatologia constituída ao longo do século XIX pôde se valer de padrões normativos de classificação que, embora desprovidos de verdadeira metodologia científica, comungavam com a ciência o gesto de eliminação da palavra do alienado mental. Com o surgimento propriamente moderno das práticas disciplinares, a loucura passaria a ser tomada como um desvio do sujeito em relação à sua representação social, sendo a cura a restituição dessa adequação perdida através de um processo que visa estabilizar o doente numa representação reconhecida socialmente. Se nesse século se viu surgirem as ciências do homem, foi na medida em que nele se gerou um saber – ou um poder epistemológico, para retomar o termo de Foucault – calcado na prática de observação, de registro e de comparação dos comportamentos humanos que objetivava, em última instância, sua representação nas classes sociais definidas pelo Estado.

É bem verdade que, em princípio, não há nada de propriamente descomedido numa prática classificatória. Existem classes, ou seja, multiplicidades unificadas sobre a base de uma propriedade definida, condicionadas pela existência, exterior a ela, de outra classe como limite, sem tal propriedade. Há, contudo, uma importante diferença quando se trata de classificar sujeitos, sobretudo quando tratamos da nosologia como doutrina das classes diagnósticas: as classes cujos elementos são sujeitos não se encontram fundadas sobre nenhuma propriedade empiricamente representável.[i] Por mais que se tente diferenciar grupos de indivíduos mediante algum traço predicativo – o que pode bem ser um entalhe inscrito no corpo, como no caso judaico da circuncisão –, não há nada que justifique *a priori* a inclusão de sujeitos numa classe determinada. Existe apenas

---

[i] Retomamos, aqui, a discussão desenvolvida por J.-C. Milner sobre as classes paradoxais (MILNER, 1983).

o efeito de alienação a um nome, de modo que a propriedade identificatória que lhe é assim atribuída necessita ser constantemente reafirmada pelo gesto de sua nomeação.

O que explica, em nossa prática clínica, que o diagnóstico tenha incidência sobre o prognóstico, conforme dizíamos no início, é que as classes, assim constituídas, produzem efeitos consideráveis sobre os seres que nelas se representam. Mas com a importante ressalva de que o sujeito não se deixa alienar inteiramente nessa representação que o unifica como elemento de uma classe. Há sempre algo de sua apresentação que não se deixar representar, há sempre um resto, inerente ao sujeito, que resiste a ser assimilado pelas propriedades representativas do indivíduo.

Munidos dessas considerações, finalmente voltamos ao tabuleiro de nosso jogo para alcançar o aspecto propriamente inovador que diferencia a nosografia freudiana das práticas nosológicas que a precederam: foi justamente por considerar a causa do desejo como resto irrepresentável da apresentação subjetiva que a perspectiva freudiana surgiu, intercedendo como resposta ao contexto de objetivação do mental pelas práticas disciplinares. Ao ser convocada a intervir como uma terapêutica, a Psicanálise não procedeu, como chegou a afirmar Foucault, em continuidade com as práticas de controle que visavam ajustar o indivíduo à unidade de sua representação.[i] A Psicanálise surgiu antes como resposta ao mal-estar gerado pela dificuldade que experimenta o sujeito em se adequar à classe que o nomeia, por se haver com algo da exigência pulsional que o divide, ou seja, que não se deixa integrar em sua unidade

---

[i] Vale lembrar que Foucault situa a Psicanálise tanto em continuidade como em ruptura com relação a esse processo, em momentos distintos de seu pensamento (FOUCAULT, 1999, p. 122).

representativa de indivíduo. Por isso ela deve sua origem à consideração clínica, por parte de Freud, da loucura histérica no que ela tinha de mais desconcertante para o saber classificatório: doença inclassificável, por excelência, a histeria se modifica constantemente com relação a ela própria, colocando a perder todo esforço de objetivação por sua capacidade de exibir, de maneira aparentemente aleatória, os sinais clínicos de todas as classes diagnósticas.

Sejamos, portanto, subjetivos: para decifrar o enigma da histeria, objetivá-la, no nível pretensamente científico de uma psicologia dos fenômenos mentais ou psíquicos, não nos leva muito longe; é preciso, antes de tudo, escutar o que o sujeito histérico tem a dizer. Para nos certificarmos disso, basta abrir as páginas iniciais do ensaio sobre "As neuropsicoses de defesa"[i] ["Abwehrneuropsychosen"], escrito em 1894 por um Freud neurologista ainda anônimo, seis anos antes da publicação da *Interpretação dos sonhos* [*Die Traumdeutung*]. Notamos de imediato, em seu agudo comentário sobre os fenômenos histéricos de divisão da consciência, que ele não visa esclarecer essa divisão pela hipótese objetivante de uma deficiência da capacidade de síntese psíquica do indivíduo, como queria Pierre Janet. Ao escutar seus pacientes, Freud desnaturaliza a concepção de doença mental, notando de saída que a cisão da consciência deriva não de uma falha de síntese, mas antes "de um ato de vontade [*eines Willenaktes*] do doente", sem com isso afirmar "que o doente tenha a intenção de produzir uma cisão". Já existe, portanto, nesse algo da vontade que escapa à intenção da consciência, a expressão da exigência pulsional como parte de uma satisfação que divide o sujeito,

---

[i] O referido ensaio será incluído nesta coleção no volume *Histeria, obsessão e outras neuroses* (no prelo).

alheia à representação unificada do eu. Tudo se passa como se a sanidade psíquica subsistisse "até o momento em que surgiu um caso de intolerabilidade em sua vida representacional, isto é, até que se apresentou ao seu Eu uma vivência [...] que despertou um afeto tão desagradável que a pessoa decidiu a esquecer". A solução histérica (e não sua deficiência inata, como diria uma vez mais Janet) consiste em transpor esse fator libidinal incompatível para o corpo, na forma da conversão, com vistas a desembaraçar a unidade egoica do elemento desarmônico, que passa assim a parasitar uma função corporal. O traço mnêmico dessa ideia recalcada não é eliminado, mas vem formar o núcleo de outro grupo psíquico, inacessível à consciência, que a operação psicanalítica tenta desvelar.

Não é, contudo, somente na loucura histérica que Freud identifica a inadequação entre a apresentação dividida do sujeito e a unidade representativa do Eu. Ele a identifica em outro tipo de loucura, a loucura obsessiva, que tende a ser tanto mais grave quanto mais normal o indivíduo se esforça para ser. No lugar de transpor o fator libidinal incompatível para o corpo, a defesa consiste agora em manter a representação mental desse fator distante das associações do pensamento consciente, fazendo com que o afeto dali desligado passe a habitar ideias obsessivas aparentemente absurdas que parasitam a consciência, entulhando-a desses pensamentos. Em sua paixão pela normalidade, o sujeito não mais percebe que as ideias obsessivas são autorrecriminações alteradas de uma satisfação impedida, submetendo-se a regras e cerimoniais que o exaurem na tarefa infinita de preservar uma unidade sem falhas. No entender de Freud, esse fator pulsional que se manifesta tanto na conversão histérica quanto na compulsão obsessiva deve expressar algo da realidade sexual que resiste a ser assimilado pela unidade representativa do eu, em razão da impossibilidade de se representar cognitivamente o sentido da excitação sexual. Se ele chega a definir a neurose nos termos de uma solução negativa da perversão, é por divisar na atitude perversa o destino da pulsão sexual não submetida ao mecanismo de recalcamento.

Não é, portanto, casual, conforme lembra Pedro Heliodoro Tavares, que Freud estivesse atento à derivação do termo *Kränkung*, que em alemão significa literalmente "ofensa", para o adjetivo *krank* (doente), em seus *Estudos sobre a histeria*. Interessa-lhe fundamentalmente demonstrar, a partir de sua escuta clínica da histeria e dos sintomas obsessivos, o quanto a ofensa moral pode levar ao adoecimento. Mas há também, para além da loucura histérica e da loucura obsessiva, a loucura propriamente dita, ou seja, a loucura psicótica, em que o fator pulsional recebe um destino diverso. Em vez de ser enquistado num pensamento-parasita ou transposto para algum componente somático de valor simbólico, o elemento recusado se encontra de tal modo enredado na realidade externa que o Eu termina por se desligar total ou parcialmente da realidade. As autorrecriminações do obsessivo e a satisfação impedida da histérica se deslocam, via projeção, para os sentimentos delirantes de desconfiança e perseguição, situando no campo do Outro o excesso pulsional incompatível com a representação do sujeito.

Decerto nossa apresentação um tanto esquemática desses três modos de solução nem de longe faz justiça à riqueza de detalhes que Freud cuidadosamente desenvolve ao abordar o adoecimento psíquico como efeito da dificuldade do sujeito em atender a uma exigência de adequação. Desse esquema nos servimos tão somente para enfatizar que sua inteligibilidade se deu na medida em que Freud, no lugar de pensar o sofrimento na perspectiva objetivante do saber científico, que silencia a palavra do louco, preferiu ouvir o que seu paciente tinha a dizer. Mas ao tomar seu paciente como sujeito, e não como objeto de sua investigação, Freud cedo percebeu que, para alcançar, pela via da palavra, a verdade dessa inadequação do desejo, seria necessário colocar em marcha um tipo de experiência da linguagem radicalmente diverso daquele que se dá no nível das significações sociais do discurso. Pois se o que conforma o sujeito à sua representação unificada de indivíduo se liga ao uso regrado que ele faz da palavra, em observância aos preceitos da comunidade discursiva à qual ele pertence, a verdade irrepresentável do desejo somente pode ser tocada ao se dar à palavra um destino diverso das significações codificadas socialmente. Dar, de fato, a palavra ao sujeito, pela via da associação livre, consiste em convidá-lo a desligar a linguagem da função instrumental de representar a realidade, mostrando-lhe como sua fala pode gerar efeitos significantes inéditos, reveladores de uma verdade que se apresenta no engano, alheia ao que se intenciona significar.

A hipótese clínica que guia Freud é a de que se há uma loucura no sintoma, manifesta tanto na estranheza dos pensamentos parasitas quanto nas disfunções somáticas e nas inferências delirantes, dar a palavra ao paciente significa ouvir o que essa perturbação quer dizer. Mas ao tentar captar o sentido pulsional do desejo sob o sintoma aparentemente louco, Freud constata que a língua na qual ele se expressa é ela também uma língua enlouquecida. Para escutar o que o sintoma diz, é necessário se formar numa língua que não reconhece o princípio de não contradição, uma língua que se move mais pela assonância do que pela organização discursiva do conceito, uma língua

NEUROSE, PSICOSE, PERVERSÃO **341**

cujas palavras se ligam mais em função de sua conexão afetiva do que pelo significado convencional que governa seu uso na comunicação, uma língua que escapa às regras tanto semânticas quanto sintáticas da língua comum, uma língua cuja gramática, longe de se reduzir a um conjunto de normas impessoais, antes revela a própria posição que o sujeito adota em relação aos representantes simbólicos da pulsão. A essa língua ensandecida Freud deu o nome de *inconsciente*.[i]

Escusado lembrar que o caminho jamais esteve livre para tal experiência. Se o gesto de Freud consistia, como diz Foucault, em fazer a palavra voltar-se sobre si mesma, emancipando-a da função de representação, o projeto de "uma linguagem científica universal", levado a frente pelo trabalho de Ogden e Richard (*The Meaning of Meaning*), voltaria a reforçar ainda mais o ideal de concepção de uma língua representativa ideal, depurada ao máximo das fontes de engano em que habita a verdade freudiana.[ii] Não deixa, aliás, de ser interessante constatar que o programa difundido por Ogden e Richard, em 1923, é contemporâneo do manifesto surrealista lançado por André Bréton, no ano 1924, em direção diametralmente oposta a uma concepção higienista da língua. No mesmo momento em que a versão neopositivista da ciência apostava nos efeitos terapêuticos do controle disciplinar da linguagem, o programa surrealista de inspiração freudiana − qualificado, aliás, por Walter Benjamin como o último instante de brilho da

---

[i] Cf. a propósito dessa língua ensandecida do sintoma a conferência "A loucura do sintoma", proferida por Ram Mandil na Seção Minas da Escola Brasileira de Psicanálise, ainda inédita.

[ii] A esse respeito, leia-se a discussão desenvolvida por Gilson Iannini nas seções 3, 4 e 5 do primeiro capítulo de *Estilo e verdade em Jacques Lacan* (IANNINI, 2013).

342 OBRAS INCOMPLETAS DE S. FREUD

inteligência europeia – visava expor o quão interessante pode ser extraviar as palavras de sua tarefa de significar. Como se dá no processo de associação livre e no trabalho do sonho, o sentido visado na escritura automática surge como resultado não previsível dos encontros e efeitos de assonância que a linguagem permite. Destituído de sua função de ordenar as palavras, o sentido passa a ser tomado como efeito puramente contingente de sua articulação.

Mas o surrealismo não satisfaria a Freud, porque Freud não faz literatura, apesar de ser, em grande medida, um homem de letras. Freud é, para sermos mais exatos, um cientista letrado, paradoxalmente conduzido a resgatar a dimensão subjetiva que o discurso da ciência visa excluir. Na impossibilidade de encontrar entre seus pares um meio de projetar cientificamente o seu achado, Freud irá recorrer à arqueologia linguística para produzir o instigante estudo "Sobre o sentido antitético das palavras primitivas". Ao estudar os ensaios publicados, em 1884, pelo filólogo Karl Abel, Freud encontra a demonstração empírica de que uma quantidade considerável de palavras pode assumir sentidos opostos, na língua egípcia antiga: imaginemos que a palavra *forte* signifique tanto "forte" como "fraco", que o substantivo *luz* seja usado para designar tanto "luz" quanto "escuridão", que haja também compostos como *velhojovem*, *longeperto*, e daí por diante. Freud se entusiasma por descobrir um achado científico que verifica sua hipótese sobre o funcionamento inconsciente da linguagem no trabalho do sonho, que lhe parece prescindir tanto da negação quanto da expressão de elementos opostos. Ele acreditava ter, diante dos seus olhos, a prova cabal de que o uso representativo de uma linguagem unívoca seria, na verdade, apenas uma das versões possíveis do seu emprego, que havia de fato uma equivocidade original das palavras que lhe permitia desvelar, na fala de seus pacientes, um sentido absolutamente distinto daqueles que se encontram codificados no discurso consciente.

Embora o aspecto propriamente metodológico de tal pesquisa possa ser questionado, como se constata na acerba crítica que lhe foi dirigida pelo linguista Émile Benveniste, o valor das inferências freudianas permanece absolutamente válido. Por mais duvidosa que seja a veracidade dos dados filológicos recolhidos por Abel, é injusto dizer, como faz Benveniste, que Freud dali infere a tese de que uma mesma palavra possa gerar sentidos opostos em seu uso lexical. Freud não é ingênuo a ponto de supor que um elemento da língua possa designar ao mesmo tempo A e não-A em sua locução, visto que o próprio princípio de diferenciação linguística entre A e não-A supõe a presença de elementos linguísticos de valores diferentes. O que na verdade conta para Freud, no que tange às palavras de sentido ántitético, é que por meio delas se verifica que a diferenciação dos elementos da língua não se encontra necessariamente dada *a priori* na própria estrutura da língua; tal diferenciação depende, para se produzir, de uma decisão que encaminha essa diferença segundo a tática subjetiva de sua enunciação.

Mais importante, portanto, do que a tese extraída diretamente de Abel é sua consequência: a impossibilidade de se decidir de saída quanto à significação de um dado elemento da língua (MILNER, 2002). Não é nem mesmo necessário recorrer a uma arqueologia da linguagem para verificá-la; a sincronia nos basta. Tal é o caso, para retomar seus exemplos, do artigo indefinido *um*, que pode se aplicar a determinado referente justamente para designar sua multiplicidade – quando se diz um cisne, supõe-se que haja vários –, ao passo que o artigo definido singular se diz justamente do que é único: a Terra, o Sol, a Lua, etc. O artigo indefinido *um* pode tanto designar um indivíduo no meio da multiplicidade, por oposição à espécie – "um violino chora ao longe" –, quanto o indivíduo típico que vale como representante da espécie – "um violino é um instrumento de cordas", etc. Caso se queira outros exemplos, temos também o uso do *não*, que, ao preceder uma frase, pode muito bem expressar o desejo afirmativo visível, por exemplo, na locução "não me diga que fui aprovado!", etc. Ora, esses dados, aparentemente triviais, comportam um interesse eminentemente clínico para a prática psicanalítica: da ambiguidade virtualmente presente em todo elemento da língua depende o próprio gesto da interpretação que aponta para a singularidade do desejo ao encaminhar, a partir de uma palavra, um sentido distinto de sua codificação discursiva. A interpretação consiste precisamente em introduzir diferenciações sobre o elemento da língua no próprio lugar em que esse elemento não se diferencia.

Mas o que vem, então, orientar a decisão do psicanalista no momento da interpretação? Por meio de qual sinalização ele escolhe a via em que encaminha o traço diferencial da palavra concernida? Uma vez mais, sejamos subjetivos! A bússola que guia Freud é sempre a fala do seu paciente. Mas se trata de escutá-lo enquanto sujeito, e não no que se formula no nível consciente do Eu. Ou seja, importa mais escutar o que ele diz do que aquilo que se acrescenta ao que foi dito para tornar adequada a sua recepção, como fica exposto na clássica discussão sobre a negação. Negar um conteúdo, para tornar uma fala aceitável, é um sinal a mais para escutar, naquilo que foi sonegado pela negação, uma satisfação subjetiva incompatível com a representação unificada que se tem de si mesmo. A ela se liga a percepção íntima do próprio como impróprio, do qual a vergonha seria o afeto emblemático. Por isso, o sentido do qual se trata de interpretar diz menos respeito a uma significação presente em algum código esotérico do que a uma energética da satisfação pulsional relativa ao objeto de desejo. A interpretação freudiana não se confunde com uma hermenêutica porquanto não visa ao significado encoberto de um determinado termo. Longe de ser o conteúdo escondido a ser desnudado sob um disfarce, o inconsciente freudiano se dá a ver na própria composição do disfarce, na forma mesma de sua deformação. Está muito mais em questão, como se verifica exemplarmente nos chistes, o efeito de satisfação semântica visível na deformação que o objeto de desejo, impossível de se representar, imprime sobre o discurso representativo, do que o significado oculto de uma verdade latente.

É nessa via que Freud nos convida a entender os tipos de adoecimento neurótico, a autorreprovação do melancólico, os sentimentos persecutórios do paranoico, assim como o elemento erótico que articula a gramática da fantasia em "Bate-se numa criança". Em todas as situações, duas perguntas essenciais se colocam para o clínico: qual modo de satisfação pulsional ali se encontra envolvido e que tipo de impedimento estaria em causa. Com a importante ressalva de que se as diversas soluções subjetivas podem ser tipificadas no interior de classes diagnósticas estabelecidas pela doutrina psicanalítica, o que verdadeiramente conta, para a escuta clínica, é a solução sintomática por meio da qual cada sujeito vem se haver com o problema da exigência pulsional e da prescrição social de seu modo de satisfação e renúncia. Por mais que possamos nos referir à conversão corporal da satisfação impedida, no caso da histeria, de seu deslocamento para

346 OBRAS INCOMPLETAS DE S. FREUD

o pensamento parasita, no obsessivo ou da transferência do excesso pulsional para o Outro, no caso da paranoia, as classes diagnósticas assim constituídas não devem convocar nenhum agrupamento. Histeria, obsessão e paranoia são nomes que somente indicam a maneira histérica, obsessiva ou paranoica que tem um sujeito de ser inclassificável, dessemelhante de todo outro (MILNER, 1983).

É nessa perspectiva que entendemos o célebre preceito freudiano que nos exorta a abordar cada caso como se fosse o primeiro: devemos deixar metodologicamente de lado o saber acumulado no estudo da nosologia para dar abertura ao saber que não se sabe do inconsciente que se desenvolve, de maneira inédita, em cada nova situação clínica. Dela deriva a ênfase que a Psicanálise dá à dimensão do caso único, da experiência ímpar que não se repete. Falamos sempre do *caso a caso*, do *um a um*, estamos continuamente à espreita daquilo que o sintoma comporta como solução subjetiva incalculável, assim como da resposta que cada um traz a problemas para cuja saída não havia coordenadas previstas. Cabe-nos, contudo, tomar cuidado para que a exortação desse princípio não coloque a perder a sua inteligibilidade. É sempre bom lembrar que a exaltação do singular, *tópos* romântico por excelência, traz frequentemente consigo a recusa da demonstração, como se o procedimento demonstrativo viesse dissipar o *frisson* poético da invenção subjetiva na aridez formal do cálculo epistêmico.

Assim como, para Hegel, a Filosofia deve se guardar de ser uma prática edificante, a Psicanálise, por sua vez, deve evitar se transformar numa prática exortatória. A Psicanálise é filha do discurso científico, e por isso mais afeita à demonstração do que à exortação. Ela não pode ficar indiferente ao problema da formalização que se requer de cada caso singular, e necessita, por conseguinte, encontrar um modo de articulação da singularidade subjetiva ao universal do discurso em que sua solução se transmite. Diríamos, então, que a despeito de nosso interesse pelo elemento não tipificável do caso único, da singularidade irreprodutível de cada solução subjetiva, nem por isso devemos deixar de procurar os elementos recorrentes que apontam para o que há de constante, no caso singular, segundo um método que essa busca exige. Importa-nos indicar, para além da inclusão do sujeito nas classes determinadas pelos saberes diagnósticos, o dado invariante relativo ao modo singular de satisfação pulsional do qual Freud amiúde extraía a própria nomeação do caso clínico. Sintagmas tais como "o homem dos ratos", "o homem dos lobos", "a jovem homossexual", "a bela açougueira", aos quais se poderia acrescentar "a mulher de Deus", a propósito de Schreber, ou "o menino dos cavalos", a propósito do pequeno Hans, nada mais são do que nomeações que indicam, nos modos singulares de encaminhamento da pulsão, o elemento invariante, metodologicamente apreensível, que se repete na história singular de cada um.

REFERÊNCIAS

FOUCAULT, M. *A verdade e as formas jurídicas*. Rio de Janeiro: Nau, 1999.

IANNINI, G. *Estilo e verdade em Jacques Lacan*. Belo Horizonte: Autêntica, 2013.

OGDEN, C. K.; RICHARDS, I. A. *The Meaning of Meaning*. New York: Harvest/HBJ, 1989 [1923].

MILNER, J.-C. *Les Noms indistincts*. Paris: Seuil, 1983.

MILNER, J.-C. *Le Périple structural*. Paris: Seuil, 2002.

REFERÊNCIAS

O aparato editorial do presente volume apoiou-se nos principais aparatos críticos disponíveis em línguas estrangeiras, nas biografias mais conhecidas e em alguns dicionários temáticos.

APARATOS CRÍTICOS ESTRANGEIROS

LAPLANCHE, J. (Ed.). *Œuvres complètes de Freud*. Paris: PUF, 1988-2016. (Notices, notes et variantes de Alain Rauzy).

STRACHEY, J. Apparatus. In: *The Standard Edition of the Complete Psychological Works of Sigmund Freud*. Translated from the German under the General Editorship of James Strachey. Londres, 1956-1974.

DICIONÁRIOS E CONGÊNERES

ASSOUN, P.-L. *Dictionnaire des œuvres psychanalytiques*. Paris: PUF, 2009.

LAPLANCHE, J.; PONTALIS, J.-B. *Vocabulário de psicanálise*. São Paulo: Martins Fontes, 1998.

ROUDINESCO, E.; PLON, M. *Dicionário de psicanálise*. Rio de Janeiro: Zahar, 1998.

TAVARES, Pedro Heliodoro. *Versões de Freud*: breve panorama crítico das traduções de sua obra. Rio de Janeiro: 7 Letras, 2011.

BIOGRAFIAS

GAY, P. *Freud: uma vida para nosso tempo.* São Paulo: Companhia das Letras, 1989.

JONES, E. *Vida e obra de Sigmund Freud.* Rio de Janeiro: Imago, 1998. 3 v.

ROUDINESCO, E. *Sigmund Freud: en son temps et dans le nôtre.* Paris: Seuil, 2014.

OBRAS INCOMPLETAS
DE SIGMUND FREUD

A célebre "enciclopédia chinesa" referida por Borges dividia os animais em: "a) pertencentes ao imperador; b) embalsamados, c) domesticados, d) leitões, e) sereias, f) fabulosos, g) cães em liberdade, h) incluídos na presente classificação, i) que se agitam como loucos, j) inumeráveis, k) desenhados com um pincel muito fino de pelo de camelo, l) *et cetera*, m) que acabam de quebrar a bilha". A coleção Obras Incompletas de Sigmund Freud é um convite para que o leitor estranhe as taxionomias sacramentadas pelas tradições de escolas e de editores; classificações que incluem e excluem obras do "cânone" freudiano através do apazi-guador adjetivo "completas"; que dividem a obra em classes consagradas, tais como "publicações pré-psicanalíticas", "artigos metapsicológicos", "escritos técnicos", "textos so-ciológicos", "casos clínicos", "outros trabalhos", etc. Como se um texto sobre a cultura ou sobre um artista não fosse também um documento clínico, ou se um escrito técnico não discutisse importantes questões metapsicológicas, ou se trabalhos como *Sobre a concepção das afasias*, por exemplo, simplesmente jamais tivessem sido escritos.

A tradução e a edição da obra de Freud envolvem múltiplos aspectos e dificuldades. Ao lado do rigor filológico e do cuidado estilístico, ao menos em igual proporção, deve figurar a precisão conceitual. Embora Freud seja um escritor talentoso, tendo sido agraciado com o Prêmio Goethe, entre outros motivos, pela qualidade literária de sua prosa científica, seus textos fundamentam uma prática: a clínica psicanalítica. É claro que os conceitos que emanam da Psicanálise também interessam, em maior ou menor grau, a áreas conexas, como a crítica social, a teoria literária, a prática filosófica, etc. Nesse sentido, uma tradução nunca é neutra ou anódina. Isso porque existem dimensões não apenas linguísticas (terminológicas, semânticas, estilísticas) envolvidas na tradução, mas também éticas, políticas, teóricas e, sobretudo, clínicas. Assim, escolhas terminológicas não são sem efeitos práticos. Uma clínica calcada na teoria da "pulsão" não se pauta pelos mesmos princípios de uma clínica dos "instintos", para tomar apenas o exemplo mais eloquente.

A tradução de Freud – autor tão multifacetado – deve ser encarada de forma complexa. Sua tradução não envolve somente o conhecimento das duas línguas e uma boa técnica de tradução. Do texto de Freud se traduz também o substrato teórico que sustenta uma prática clínica amparada nas capacidades transformadoras da palavra. A questão é que, na estilística de Freud e nas suas opções de vocabulário, via de regra, forma e conteúdo confluem. É fundamental, portanto, proceder à "escuta do texto" para que alguém possa desse autor se tornar "intérprete".

Certamente, há um clamor por parte de psicanalistas e estudiosos de Freud por uma edição brasileira que respeite a fluência e a criatividade do grande escritor, sem se descuidar da atenção necessária ao já tão amadurecido debate acerca de um "vocabulário brasileiro" relativo à metapsicologia freudiana. De fato, o leitor, acostumado a um estranho método de leitura, que requer a substituição mental de alguns termos fundamentais, como "instinto" por "pulsão", "repressão" por "recalque", "ego" por "eu", "id" por "isso", não raro perde o foco do que está em jogo no texto de Freud.

Se tradicionalmente as edições de Freud se dicotomizam entre as "edições de estudo", que afugentam o leitor não especializado, e as "edições de divulgação", que desagradam o leitor especializado, procurou-se aqui evitar tais extremos. Quanto à prosa ou ao estilo freudianos, procurou-se preservar ao máximo as construções das frases evitando "ambientações" desnecessárias, mas levando em conta fundamentalmente as consideráveis diferenças sintáticas entre as línguas.

A presente tradução, direta do alemão, envolve uma equipe multidisciplinar de tradutores e consultores, composta por eminentes profissionais oriundos de diversas áreas, como a Psicanálise, as Letras e a Filosofia. O trabalho de tradução e a revisão técnica de todos os volumes é coordenado pelo psicanalista e germanista Pedro Heliodoro Tavares, encarregado também de fixar as diretrizes terminológicas da coleção. O projeto é guiado pelos princípios editoriais propostos pelo psicanalista e filósofo Gilson Iannini.

A coleção Obras Incompletas de Sigmund Freud não pretende apenas oferecer uma nova tradução, direta do alemão e atenta ao *uso* dos conceitos pela comunidade psicanalítica brasileira. Ela pretende ainda oferecer uma nova maneira de organizar e de tratar os textos.

A coleção se divide em duas vertentes principais: uma série de volumes organizados tematicamente, ao lado de outra série dedicada a volumes monográficos. Cada volume recebe um tratamento absolutamente singular, que determina se a edição será bilíngue ou não e o volume de paratexto e notas, conforme as exigências impostas a cada caso. Uma ética pautada na clínica.

Gilson Iannini
Editor e coordenador da coleção

Pedro Heliodoro Tavares
*Coordenador da coleção
e coordenador de tradução*

Conselho editorial
*Ana Cecília Carvalho
Antônio Teixeira
Claudia Berliner
Christian Dunker
Claire Gillie
Daniel Kupermann
Edson L. A. de Sousa
Emiliano de Brito Rossi
Ernani Chaves
Glacy Gorski
Guilherme Massara
Jeferson Machado Pinto
João Azenha Junior
Kathrin Rosenfield
Luís Carlos Menezes
Maria Rita Salzano Moraes
Marcus Coelen
Marcus Vinícius Silva
Nelson Coelho Junior
Paulo César Ribeiro
Romero Freitas
Romildo do Rêgo Barros
Sérgio Laia
Tito Lívio C. Romão
Vladimir Safatle
Walter Carlos Costa*

VOLUMES TEMÁTICOS

I - Psicanálise

- O interesse pela Psicanálise [1913]
- História do movimento psicanalítico [1914]
- Psicanálise e Psiquiatria [1917]
- Uma dificuldade da Psicanálise [1917]
- A Psicanálise deve ser ensinada na universidade? [1919]
- "Psicanálise" e "Teoria da libido" [1922-1923]
- Breve compêndio de Psicanálise [1924]
- As resistências à Psicanálise [1924]
- "Autoapresentação" [1924]
- Psico-Análise [1926]
- Sobre uma visão de mundo [1933]

II - Fundamentos da clínica psicanalítica

Publicado em 2017 | Tradução de Claudia Dornbusch

- Tratamento psíquico (tratamento anímico) [1890]
- O método psicanalítico freudiano [1903]
- Sobre psicoterapia [1904]
- Sobre Psicanálise selvagem [1910]
- Recomendações ao médico para o tratamento psicanalítico [1912]
- Sobre a dinâmica da transferência [1912]
- Sobre o início do tratamento (Novas recomendações sobre a técnica da Psicanálise I) [1913]
- Recordar, repetir e perlaborar (Novas recomendações sobre a técnica da Psicanálise II) [1914]
- Observações sobre o amor transferencial (Novas recomendações sobre a técnica da Psicanálise III) [1914]
- Sobre fausse reconnaissance (déjà raconté) no curso do trabalho psicanalítico [1914]
- Caminhos da terapia psicanalítica [1918]
- A questão da análise leiga [1926]
- Análise finita e infinita [1937]
- Construções em análise [1937]

III - Conceitos fundamentais da Psicanálise

- Cartas e rascunhos
- O mecanismo psíquico do esquecimento [1898]
- Lembranças encobridoras [1899]

356 OBRAS INCOMPLETAS DE S. FREUD

- Formulações sobre dois princípios do acontecer psíquico [1911]
- Algumas considerações sobre o conceito de inconsciente na Psicanálise [1912]
- Para introduzir o narcisismo [1914]
- As pulsões e seus destinos [1915]
- O recalque [1915]
- O inconsciente [1915]
- A transferência [1917]
- Além do princípio de prazer [1920]
- O Eu e o Isso [1923]
- Nota sobre o bloco mágico [1925]
- A decomposição da personalidade psíquica [1933]

IV - Sonhos, sintomas e atos falhos

- Sobre o sonho [1901]
- Manejo da interpretação dos sonhos [1911]
- Sonhos e folclore [1911]
- Um sonho como meio de comprovação [1913]
- Material de contos de fadas em sonhos [1913]
- Complementação metapsicológica à doutrina dos sonhos [1915]
- Uma relação entre um símbolo e um sintoma [1916]
- Os atos falhos [1916]
- O sentido do sintoma [1917]
- Os caminhos da formação de sintoma [1917]
- Observações sobre teoria e prática da interpretação de sonhos [1922]
- Algumas notas posteriores à totalidade da interpretação dos sonhos [1925]
- Inibição, sintoma e angústia [1925]
- Revisão da doutrina dos sonhos [1933]
- As sutilezas de um ato falho [1935]
- Distúrbio de memória na Acrópole [1936]

V - Histórias clínicas

- Fragmento de uma análise de histeria (Caso Dora) [1905]
- Análise de fobia em um menino de cinco anos (Caso Pequeno Hans) [1909]
- Considerações sobre um caso de neurose obsessiva (Caso Homem dos Ratos) [1909]

NEUROSE, PSICOSE, PERVERSÃO 357

- Considerações psicanalíticas sobre um caso de paranoia relatado de forma autobiográfica [Dementia Paranoides] (Caso Presidente Schreber) [1911]
- História de uma neurose infantil (Caso Homem dos Lobos) [1914]

VI - Histeria, obsessão e outras neuroses

- Cartas e rascunhos
- Sobre o mecanismo psíquico dos fenômenos histéricos [1893]
- Obsessões e fobias: seu mecanismo psíquico e sua etiologia [1894]
- As neuropsicoses de defesa [1894]
- Observações adicionais sobre as neuropsicoses de defesa [1896]
- A etiologia da histeria [1896]
- A hereditariedade e a etiologia das neuroses [1896]
- A sexualidade na etiologia das neuroses [1898]
- Minhas perspectivas sobre o papel da sexualidade na etiologia das neuroses [1905]
- Atos obsessivos e práticas religiosas [1907]
- Fantasias histéricas e sua ligação com a bissexualidade [1908]
- Considerações gerais sobre o ataque histérico [1908]
- Caráter e erotismo anal [1908]
- O romance familiar dos neuróticos [1908]
- A disposição para a neurose obsessiva: uma contribuição ao problema da escolha da neurose [1913]
- Paralelos mitológicos de uma representação obsessiva visual/plástica [1916]
- Sobre transposições da pulsão, especialmente no erotismo anal [1917]

VII - Neurose, psicose, perversão

Publicado em 2016 | Tradução de Maria Rita Salzano Moraes

- Cartas e rascunhos
- Sobre o sentido antitético das palavras primitivas [1910]
- Sobre tipos neuróticos de adoecimento [1912]
- Luto e melancolia [1915]
- Comunicação sobre um caso de paranoia que contraria a teoria psicanalítica [1915]
- "Bate-se numa criança" [1919]
- Sobre a psicogênese de um caso de homossexualidade feminina [1920]
- Sobre alguns mecanismos neuróticos no ciúme, na paranoia e na homossexualidade [1922]

- Uma neurose demoníaca no século XVII [1922]
- O declínio do complexo de Édipo [1924]
- A perda da realidade na neurose e na psicose [1924]
- Neurose e psicose [1924]
- O problema econômico do masoquismo [1924]
- A negação [1925]
- O fetichismo [1927]

VIII - Arte, literatura e os artistas

Publicado em 2015 | Tradução de Ernani Chaves

- Personagens psicopáticos no palco [1905]
- O poeta e o fantasiar [1907]
- Uma lembrança de infância de Leonardo da Vinci [1910]
- O motivo da escolha dos três cofrinhos [1913]
- Moisés de Michelangelo [1914]
- Transitoriedade [1915]
- Alguns tipos de caráter no trabalho analítico [1916]
- Uma lembrança de infância em "Poesia e verdade" [1917]
- O humor [1927]
- Dostoiévski e o parricídio [1927]
- Prêmio Goethe [1930]

IX - Amor, sexualidade e feminilidade

Publicado em 2018 | Tradução de Maria Rita Salzano Moraes

- Cartas sobre a bissexualidade (1898 -1904)
- Sobre o esclarecimento sexual das crianças [1907]
- Teorias sexuais infantis [1908]
- Contribuições para a psicologia do amor [1910]
  a) Sobre um tipo especial de escolha objetal no homem
  b) Sobre a mais geral degradação da vida amorosa
  c) O tabu da virgindade
- Duas mentiras contadas por crianças [1913]
- A vida sexual dos seres humanos [1916]
- Desenvolvimento da libido e organização sexual [1916]
- Organização genital infantil [1923]
- O Declínio do Complexo de Édipo (1924)
- Algumas consequências psíquicas da distinção anatômica entre os sexos [1925]
- Sobre tipos libidinais [1931]
- Sobre a sexualidade feminina [1931]

- A feminilidade [1933]
- Carta a uma mãe preocupada com a homossexualidade de seu filho (1935)

X - Cultura, sociedade, religião: O mal-estar na cultura e outros escritos
Publicado em 2020 | Tradução de Maria Rita Salzano Moraes

- A moral sexual "civilizada" e doença nervosa [1908]
- Considerações contemporâneas sobre guerra e morte [1915]
- Psicologia de massas e análise do Eu [1921]
- O futuro de uma ilusão [1927]
- Uma vivência religiosa [1927]
- O mal-estar na cultura [1930]
- Sobre a conquista do fogo [1931]
- Por que a guerra? [1932]
- Comentário sobre o antissemitismo [1938]

VOLUMES MONOGRÁFICOS

- **As pulsões e seus destinos [edição bilíngue]**
  Publicado em 2013 | Tradução de Pedro Heliodoro Tavares
- **Sobre a concepção das afasias**
  Publicado em 2013 | Tradução de Emiliano de Brito Rossi
- **Compêndio de Psicanálise e outros escritos inacabados**
  Publicado em 2014 | Tradução de Pedro Heliodoro Tavares
- **O infamiliar (edição bilíngue). Seguido de "O homem da areia" (de E.T.A. Hoffmann)**
  Publicado em 2019 | Tradução de Ernani Chaves e Pedro Heliodoro Tavares
- **Além do princípio de prazer (edição bilíngue)**
- **O delírio e os sonhos na "Gradiva" de Jensen. Seguido de "Gradiva" (de W. Jensen)**
- **Três ensaios sobre a teoria sexual**
- **Psicopatologia da vida cotidiana**
- **O chiste e sua relação com o inconsciente**
- **Estudos sobre histeria**
- **Cinco lições de Psicanálise**
- **Totem e tabu**
- **O homem Moisés e a religião monoteísta**
- **A interpretação dos sonhos**

Gilson Iannini

Psicanalista, filósofo, editor. Professor do Departamento de Filosofia da UFOP. Doutor em Filosofia (USP) e mestre em Psicanálise (Université Paris 8). Autor de *Estilo e verdade em Jacques Lacan* (Autêntica).

Pedro Heliodoro Tavares

Psicanalista, germanista, tradutor. Professor da Área de Alemão – Língua, Literatura e Tradução (USP). Doutor em Psicanálise e Psicopatologia (Université Paris VII). Autor de *Versões de Freud* (7Letras, 2011) e coorganizador de *Tradução e Psicanálise* (7Letras, 2013).

Antônio Teixeira

Psicanalista e professor na UFMG, onde leciona no Departamento de Psicologia. É pós-graduado em Filosofia Contemporânea pela UFMG (mestrado) e em Psicanálise pela Universidade de Paris 8 (doutorado). É autor de *A soberania do inútil* (Annablume, 2007), entre outros.

Maria Rita Salzano Moraes

Professora do Departamento de Linguística Aplicada da Unicamp. Doutora em Linguística (Unicamp) e mestre em Linguística Aplicada (Unicamp). Tradutora.

Copyright © 2016 Autêntica Editora

Títulos originais: *Aus den Anfängen der Psychoanalyse; Über den Gegensinn der Urworte; Über neurotische Erkrankungstypen; Mitteilung eines der psychoanalytischen Theorie widersprechenden Falles von Paranoia; Trauer und Melancholie; "Ein Kind wird geschlagen" – Beitrag zur Kenntnis der Entstehung sexueller Perversionen; Über die Psychogenese eines Falles von weiblicher Homosexualität; Über einige neurotische Mechanismen bei Eifersucht, Paranoia und Homosexualität; Eine Teufelsneurose im siebzehnten Jahrhundert; Der Untergang des Ödipuskomplexes; Neurose und Psychose; Der Realitätsverlust bei Neurose und Psychose; Das ökonomische Problem des Masochismus; Die Verneinung; Fetischismus.*

Todos os direitos reservados pela Autêntica Editora Ltda. Nenhuma parte desta publicação poderá ser reproduzida, seja por meios mecânicos, eletrônicos ou em cópia reprográfica, sem a autorização prévia da Editora.

EDITOR DA COLEÇÃO
Gilson Iannini

EDITORA RESPONSÁVEL
Rejane Dias

EDITORA ASSISTENTE
Cecília Martins

ORGANIZAÇÃO, NOTAS E APARATO EDITORIAL
Gilson Iannini
Pedro Heliodoro Tavares

REVISÃO TÉCNICA E DE TRADUÇÃO
Pedro Heliodoro Tavares

CONSULTORIA CIENTÍFICA
Guilherme Massara Rocha
Paulo César Ribeiro

REVISÃO
Aline Sobreira
Lívia Martins

PROJETO GRÁFICO E CAPA
Diogo Droschi
(sobre imagem Sigmund Freud's Study –
Authenticated News)

DIAGRAMAÇÃO
Larissa Carvalho Mazzoni

Dados Internacionais de Catalogação na Publicação (CIP)
(Câmara Brasileira do Livro, SP, Brasil)

Freud, Sigmund, 1856-1939.
   Neurose, psicose, perversão / Sigmund Freud ; tradução Maria Rita Salzano Moraes. -- 1. ed.; 11. reimp. -- Belo Horizonte : Autêntica, 2025. -- (Obras Incompletas de Sigmund Freud ; 5)

   Bibliografia.
   ISBN 978-85-8217-985-7

   1. Neuroses 2. Perversões sexuais 3. Psicanálise 4. Psicopatologia 5. Psicoses 6. Textos - Coletâneas I. Título. II. Série.

16-02454   CDD-150.1952

Índices para catálogo sistemático:
1. Psicanálise freudiana : Psicologia 150.1952

Belo Horizonte
Rua Carlos Turner, 420
Silveira . 31140-520
Belo Horizonte . MG
Tel.: (55 31) 3465 4500

São Paulo
Av. Paulista, 2.073, Conjunto Nacional
Horsa I . Salas 404-406 . Bela Vista
01311-940 . São Paulo . SP
Tel.: (55 11) 3034 4468

www.grupoautentica.com.br
SAC : atendimentoleitor@grupoautentica.com.br

Este livro foi composto com tipografia Bembo Std e impresso
em papel Off-White 70 g/m² na Formato Artes Gráficas.